CE LIVRE APPARTIENT À

Colle ici ta photo

En association avec le **FAS**
Fonds d'action sociale pour les travailleurs immigrés et leurs familles

Des Français comme moi

avec la collaboration de :

L'Alsace, Le Courrier picard, Le Dauphiné libéré, La Dépêche du Midi, L'Écho des Caps,
L'Est républicain, La Montagne, La Nouvelle République du Centre-Ouest,
Le Quotidien, Ouest-France, Paris-Normandie, La Semaine guyanaise,
Le Télégramme de Brest, L'Union/L'Ardennais, La Voix du Nord

GALLIMARD JEUNESSE

Sommaire

Directrice du projet : Clotilde Lefebvre,
assistée de Françoise Ancey
Écrit et réalisé par Anne Cauquetoux

Maquettiste : Riccardo Tremori
assisté de Béatrice Desrousseaux
Iconographe : Danièle Gilot

Copyright © Éditions Gallimard Jeunesse, 1997

ISBN 2-07-051487-0
Loi n°49-956 du 16 juillet 1949
sur les publications destinées à la jeunesse
Dépôt légal : novembre 1997
Numéro d'édition : 82572

Imprimé et relié en France par *Partenaires-Livres*®

Préface

Parce qu'il faut, encore et toujours, apprendre et comprendre, les éditions Gallimard et le Fonds d'action sociale se sont associés pour faire découvrir les enfants de la France et la France des enfants.

L'aventure aura été émouvante et palpitante. Elle se prolonge aujourd'hui pour toutes celles et tous ceux, petits et grands, garçons et filles qui, comme Nawelle, Nina, Fabien ou Davy, partagent une même idée de la France.

Ainsi donc, les enfants vivent, comme ils vivent sous nos fenêtres, comme ils vivent parmi les autres. Ils regardent tous très loin, car ils sont la France de demain.

C'est incroyable, en quelques pages, en quelques mots, ils racontent ce qui leur semble beau, ce qu'ils aiment, ce qui les rend heureux : leur vie, leur famille, leurs amis, leur chat, leur chien, leur région, leurs racines qu'elles soient lorraines, provençales ou bretonnes, arabes, asiatiques ou polonaises.

Les enfants sont comme ça. Ils nous donnent envie de regarder autour de nous. Des adultes l'ont compris et leur apprennent les valeurs de la tolérance, de l'égalité et de la fraternité.

De Lille à Toulon, tous participent à la construction de valeurs communes, bousculant les idées et les stéréotypes pour y opposer les diversités et les ressemblances.

Les enfants sont comme ça. Ils nous donnent envie de regarder autour de nous, de jeter les mêmes regards profonds, lucides et heureux, les regards de la jeunesse française ou d'origine étrangère, les regards de la France de demain.

Colette Codaccioni
Présidente du Fonds d'action sociale

Qu'est-ce que le FAS ?

Créé en 1958, le Fonds d'action sociale pour les travailleurs immigrés et leurs familles, établissement public à caractère national, a pour mission de favoriser l'intégration des populations immigrées en France. Il participe ainsi à l'insertion sociale et professionnelle des immigrés et de leurs familles par la mise en œuvre d'une action sociale et familiale et de programmes sociaux. L'intervention du Fonds d'action sociale doit compléter et faciliter toutes les actions menées en ce sens par des partenaires publics ou privés.

L'Hexagone

La France est composée d'une mosaïque de cultures régionales : provençale, alsacienne, corse, bretonne… Elle compte aussi de nombreux Français issus de l'immigration. Dans ce livre, des enfants de toutes origines te raconteront ainsi leurs modes de vie. Mais tu découvriras que, malgré les différences, leurs préoccupations sont les mêmes que les tiennes : l'école, la famille, les jeux et les amis.

LE BASSIN PARISIEN

Il recouvre la région parisienne, la Picardie, la Champagne, la Sologne et une grande partie de la Normandie. Cette vaste cuvette fut recouverte à plusieurs reprises par la mer, qui y a déposé des sédiments très fertiles.

Claire habite en Basse-Normandie.

Bérangère vit en Haute-Normandie.

Jonathan habite à Paris.

Julie vit en Bretagne du nord.

Sébastien est breton du sud.

Thibaud est solognot.

Martin est parisien.

Karamoko et Mohamed vivent dans la banlieue de Paris.

Davy habite dans la région parisienne.

LA CÔTE OUEST

À l'ouest, l'Hexagone est baigné par la Manche, au nord, et l'Atlantique, au sud. La côte bretonne, très découpée, abrite de nombreuses criques et anses ; les côtes normande et aquitaine offrent de longues plages de sable ou de galet.

Julien habite en Touraine.

Jéhan est auvergnat.

Jean-Louis vit dans le Limousin.

Simon habite dans le Poitou.

Alice vit en Aquitaine.

Fabien habite en Charente.

Stéphanie vient du Lot.

Jon est basque.

LES PYRÉNÉES

Cette chaîne de montagnes sépare la France de l'Espagne. Elle s'étend sur plus de 500 km et culmine à 3 404 m (pic d'Aneto).

Philippe habite dans les Pyrénées.

Murielle vit dans le Midi.

SEINE-MARITIME 76
HAUTE- 50 Rouen
NORMANDIE
St-Lô Caen 14
MANCHE CALVADOS Evreux
BASSE- EURE
NORMANDIE 27 28 Ver
ORNE 61 Chartre
FINISTÈRE St-Brieuc Alençon EURE-
CÔTES-D'ARMOR 22 ET-LOIR
29 ILLE-ET-
BRETAGNE VILAINE MAYENNE 72
Quimper Rennes 53 Le Mans LOIR-ET-
56 MORBIHAN 35 Laval SARTHE CHER
Vannes PAYS DE Angers 37 Blois
LOIRE-ATLANTIQUE MAINE-ET- 49 Tours 41 C
44 Nantes LOIRE INDRE-
LA LOIRE ET-LOIRE 36
La Roche- 85 Châteauroux
sur-Yon 79 INDR
VENDÉE DEUX Poitiers
SÈVRES VIENNE
Niort 86 87
La Rochelle POITOU- HAUTE-
17 CHARENTES VIENNE
CHARENTE- CHARENTE Limoge
MARITIME LIM
Angoulême
16 COR
19
Périgueux
GIRONDE DORDOGNE
33 Bordeaux 24 LOT
46
AQUITAINE
LOT-ET-
GARONNE
40 47 Cahe
LANDES Agen TARN-ET- 82
GARONNE
Mont-de-Marsan Monta
32 MIDI-PYRÉN
GERS Auch Toulouse
64 65 HAUTE-
PYRÉNÉES- Pau Tarbes GARONNE
ATLANTIQUES 31 ARIÈGE
HAUTES- 09
PYRÉNÉES Foix

Victorien est picard.

Claire vit
dans les Flandres.

Marie-Anne
habite le Bassin
minier.

Julien vit également
dans le Nord.

Fanny est
ardennaise.

Gauthier habite
dans les Vosges.

Nina vit en Lorraine.

LES ALPES

Les Alpes constituent le plus important massif montagneux d'Europe, qui se partage entre la France, l'Italie, la Suisse, l'Allemagne, le Liechtenstein, l'Autriche et la Yougoslavie. Le mont Blanc, en France, est son plus haut sommet : 4 807 m !

Line est alsacienne.

Umit habite également
en Alsace.

LE MASSIF CENTRAL

Au centre-sud de la France s'élève un vieux massif montagneux, érodé par les siècles. L'altitude, d'une moyenne de 700 m, ne dépasse pas 1 885 m au puy de Sancy. Il comprend une chaîne de volcans éteints, la chaîne des Puys.

Nathan vit
en Franche-Comté.

Jérémie est
bourguignon.

LA CÔTE MÉDITERRANÉENNE

Au sud, la France est bordée par la Méditerranée. Sur toute la côte, le climat ensoleillé favorise l'olivier, la garrigue et le maquis, où se mêlent de multiples plantes aromatiques.

Sébastien
habite en Savoie.

Clémence vit
dans le Dauphiné

Virginie est languedocienne.

Roberto habite
dans le Roussillon.

Julien est provençal.

Nawelle habite
sur la Côte.

Charline vit
en Provence.

Anthony est niçois.

Aurelia habite
en Corse.

Victorien

Victorien a 12 ans. Quand il était petit, ses parents l'appelaient «Ynyn» : un surnom qu'il a en horreur et que chacun évite d'utiliser désormais. Mais parfois certaines langues oublient les bonnes résolutions… «J'ai les yeux bleu-vert, je suis blond et pas très grand : je suis parmi les garçons les plus petits de ma classe. Je suis susceptible et têtu, je n'aime pas que l'on se moque de moi. Sinon, je suis sage en classe. Je me bats souvent avec mon frère pour des gamineries.»

LA PICARDIE

Victorien vit à Rosières-en-Santerre, en Picardie, une région très agricole, dominée par la culture des céréales, des légumes (petits pois, haricots verts) et des betteraves à sucre.

Ses parents et grands-parents sont nés dans la région et pour la plupart dans le Santerre. Mais Victorien parle avec fierté d'un arrière-grand-père venu de Sicile et qui a connu son épouse à Nesles. «Comment a-t-il fait au début, puisqu'il ne parlait pas le français ?»

Sa mère Christine est piqueuse dans l'usine de tentes de camping Maréchal à Rosières.

Son père Jean-René travaille à la Direction départementale de l'équipement. Il entretient les routes départementales et nationales.

Son frère n'a pas pu être présent le jour de la photo.

Victorien

Mireille, sa grand-mère maternelle

SA MAISON

«J'habite une maison avec un grand jardin. Derrière, il y a un vaste terrain avec une allée au milieu : d'un côté, il y a du gazon et des arbres et de l'autre un potager. Ma maison a un sous-sol pour ranger les deux voitures, un local où l'on range nos jeux de vacances et le vin.»

Patricia, la mère de sa cousine Claire, tient la librairie de Rosières. «C'est bien, elle a plein de cassettes vidéo».

Les maisons de la région sont le plus souvent en briques et pour les plus anciennes en torchis avec des toits en tuiles.

«J'aime bien ma maison. Je ne voudrais rien changer sauf avoir une piscine couverte.»

SA FAMILLE

Victorien vit avec ses parents et son frère, Vincent, 16 ans, qui est en SES de maçonnerie à Harbonnières. Il est actuellement en stage d'apprentissage chez un patron. Il rentre tard le soir, fatigué, et Victorien avoue que tous deux ont moins le temps de se «chipoter».

ONCLES, TANTES ET COUSINS

Victorien a trois oncles et six cousins germains du côté de son père, un oncle du côté de sa mère. Victorien voit régulièrement ses cousins : une fois tous les deux mois pour ceux qui habitent loin, plus souvent pour ceux qui vivent à Péronne. Victorien a aussi une cousine plus éloignée, Claire, qui habite Rosières et avec qui il passe beaucoup de temps.

«Avec mon père et mon frère, une fois par mois, on va à l'étang de Lihons ou au canal de Chipilly. On pêche surtout des gardons et des anguilles.»

SA MAMY MIREILLE

Sa grand-mère maternelle habite Aubervilliers. Victorien y va régulièrement pour les petites vacances et une quinzaine de jours l'été. Lorsqu'il va chez elle, ils regardent ensemble la télévision, jouent aux cartes, vont au club de sa grand-mère où ils mangent généralement le midi. Elle vient tous les ans chez eux pour garder le chat lorsque la famille est en vacances.

Avec sa mamie, il fait du vélo, joue aux cartes (nain jaune, bataille, pouilleux, manille…), fait la cuisine : «Il sait faire tout seul le gâteau au yaourt», affirme sa mamie avec fierté.

SA MAMIE MICHELINE

Sa grand-mère paternelle, Micheline, habite Rosières. Victorien va manger chez elle tous les mercredis. Il s'y rend aussi lorsqu'il ne sait pas trop quoi faire. Il y a beaucoup de complicité et de tendresse entre eux.

HERGÉ
LES AVINTURES DE TINTIN
S PINDERLEOTS
E L'CASTAFIORE

CASTERMAN

es Bijoux de la Castafiore
n picard !

Quelques expressions picardes.
éne glène : une poule.
éne vaque : une vache.
éne vassingue : une serpillière.
éne co : un chat.
éne cacheu : un chasseur.
l'fiu à min frère : le fils de mon frère.
éch temps i s'gadrouille : le temps tourne à la pluie.
éch solé i s'éberre : le beau temps revient.

Victorien :

« Je ne voudrais pas habiter dans une autre région mais dans un autre pays : au Canada, car l'hiver, il y a de la neige et j'aime bien skier. Le Canada, c'est beau, il y a plein de bois… J'ai vu des photos. Je me vois bien dans un chalet en bois en pleine forêt au Canada… et pourquoi pas quand je serai grand avec ma copine ! C'est un rêve et je sais bien que je n'irai jamais. »

Thomas Antoine Sophie, sa Victorien
Gaëlle Émilie partenaire de rock Virginie

SES AMIS

«Je fais partie d'un petit groupe d'une dizaine de copains. Mais je n'ai pas vraiment de meilleur ami. Dans le groupe, on a tous le même âge, sauf Antoine qui a un an d'avance, on est dans le même collège en 5e, mais dans des classes différentes.» Ses trois meilleurs amis sont Antoine et Gaëlle qu'il a connus au collège, et Émilie.

e chat Nounou fait artie ntégrante e la amille.

«J'aime lire mais je ne lis pas souvent. Quand je commence un livre, je ne le finis pas, je n'ai jamais le temps. J'aime surtout les BD, les histoires d'animaux, les contes et les fables. J'apprécie aussi les histoires de policiers et d'aventures. Il faut des images, on comprend mieux comme ça. J'aime bien regarder les atlas, les encyclopédies. Je fais des cartes avec les pays (drapeau, superficie…). J'adore faire des exposés.»

LES RÉDERIES

Deux fois par an, les vieux jouets et anciennes affaires sont vendus à la réderie, une sorte de vide-greniers. On installe les affaires sur un bout de trottoir qu'on loue. Cette année, l'argent récolté doit financer un ordinateur pour Victorien. «Il travaille bien à l'école, alors cela va lui être utile», dit son père.

Les ficelles picardes (crêpes fourrées et gratinées à base de sauce blanche) sont une des spécialités régionales, avec la flamiche. Victorien n'en est pas très amateur !

Sa raquette de tennis

Victorien est, depuis l'année dernière, au tennis-club de Rosières. Chaque mardi soir, il y retrouve Antoine, Émilie et Gaëlle.

À TABLE

«Ce que l'on mange le plus souvent chez moi, c'est des pâtes et du jambon ; ce que ma mère réussit le mieux, c'est l'omelette aux pommes de terre et la tarte aux pruneaux, mais je n'aime pas ça.»

Le mardi midi au collège, Victorien participe à la chorale où les enfants interprètent des chants de Michel Berger, Jean-Jacques Goldman… Voici une de ses partitions.

Sa flûte

Ses atlas

LE ROCK

Avec l'UNSS (Union nationale des sports scolaires), Victorien fait du rock acrobatique, un sport qu'il a découvert l'an dernier lors du spectacle de fin d'année. La coéquipière de Victorien s'appelle Sophie, elle est dans la même classe que lui. Son amie Émilie fait elle aussi du rock acrobatique. Ils s'entraînent à midi.

Claire

«Bonjour, je m'appelle Claire. J'ai 12 ans. J'habite dans le Nord. Je me trouve un peu trop petite pour mon âge, car je suis la moins grande de ma classe. Mes yeux sont gris-vert et j'ai de longs cheveux couleur châtain. Les deux choses les plus importantes pour moi dans la vie sont la famille et le travail. Mon rêve serait de devenir une grande danseuse et je sais depuis longtemps ce que je veux faire comme métier : orthophoniste.»

LILLE

Lille, chef-lieu de la région Nord-Pas-de-Calais, forme une agglomération importante avec Roubaix et Tourcoing. Claire habite à Hem, une petite cité de la banlieue de Roubaix. Sa maison, belle et spacieuse, est construite dans un joli lotissement tout neuf. Claire y est très heureuse.

«Je me sens française à 100%. Je n'ai pas du tout envie de partir à l'étranger, ni de quitter les Flandres.»

«Dans ma région, c'est très vert et la campagne est très jolie. Les paysages que je préfère, ce sont les champs.»

«Je ne pense pas avoir l'accent du Nord, mais je le reconnais facilement, comme l'accent marseillais ou belge.»

«Je vois très souvent mes mamies. Elles viennent à la maison, je vais chez elles. Et puis, toute la famille se réunit aussi pour les fêtes de Noël.»

Son père, Patrick, est boulanger-pâtissier.

DANS LA BOULANGERIE-PÂTISSERIE

Pascale et Patrick tiennent une boulangerie-pâtisserie à Roubaix. Patrick est aussi chocolatier. Les week-ends chez Claire ne ressemblent pas du tout à ceux des autres enfants. Comme ses parents travaillent le samedi et le dimanche matin, c'est un week-end quelque peu écourté que goûtent ensemble Claire et sa famille.

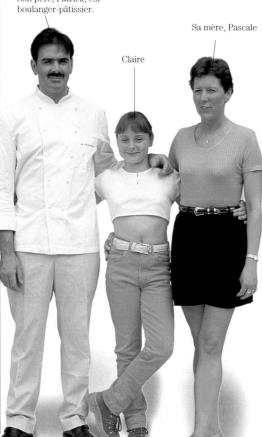

Sa mère, Pascale

Claire

Cette petite danseuse fait partie de ses collections d'objets.

Sa grand-mère maternelle

L'ANGLAIS

Claire a appris à parler anglais à l'école. L'Angleterre est toute proche : une heure pour rejoindre la côte (Calais ou Boulogne-sur-Mer), une heure et demie, de quai à quai, en empruntant le ferry, une grosse demi-heure par le tunnel sous la Manche.

Claire s'amuse souvent avec son chien Merry.

Un peu de roller dans les rues de son quartier

Claire, vêtue de sa blouse d'école.

SA FAMILLE

Claire vit avec ses parents et son frère Thibaut (14 ans), avec lequel elle joue souvent. Elle appartient à une grande famille (elle a 20 cousins !), qui se reçoit souvent. Tous sont originaires du nord de la France : les grands-parents maternels sont des paysans de la campagne cambrésienne ; les grands-parents paternels viennent de la région de Saint-Omer.

Claire fréquente une école privée catholique. Elle porte en classe une tenue réglementaire : une blouse bleue avec des rayures blanches (pour les garçons, elle est bleu marine). La discipline y est très stricte.

Claire

Sa chambre est son jardin secret. Elle y a accroché sur les murs ce qui lui plaît : des posters de chiens et surtout des cadres de danse.

« Pendant les grandes vacances, je pars avec mes parents en Espagne. C'est le seul mois que l'on peut passer ensemble. Mes meilleurs souvenirs sont là-bas. Je connais beaucoup de régions en France : la Côte d'Opale, le Midi, les Alpes, les Pyrénées, la Savoie, l'Alsace… Ma préférée ? La Corse. Pour ses montagnes, sa mer et ses couleurs. Il y a toutes les couleurs en Corse : du bleu, du vert, du rouge, du blanc, du noir, du jaune… »

DANS SA CHAMBRE

Dans sa chambre, seule ou avec ses copines, Claire pousse son lit et improvise de nouvelles chorégraphies. Avec Virginie et d'autres amies de l'école de danse, elle invente des danses. La dernière, sur des rythmes jazz, est bientôt prête, il ne lui manque plus qu'une fin.

LES PLATS PRÉFÉRÉS

«Le plat que l'on mange le plus chez moi : les frites. Mais celui que je préfère, c'est les pâtes avec des œufs sur le plat ou les pommes de terre au beurre. Non, en fait, ce que je préfère, ce sont les bonbons.» Une fois par semaine, Pascale fait des crêpes, des gaufres ou du pain perdu, des spécialités de la région.

Claire et ses copines se voient surtout à la danse. Cinq fois par semaine, depuis maintenant quatre ans, Claire fréquente l'école de danse. Au programme : danse classique et danse moderne.

Claire déguste les traditionnelles moules-frites à l'occasion de la braderie de Lille, le premier week-end de septembre.

Ses distractions préférées, après la danse : quelques pincées de jeux vidéo, un peu de Monopoly et un zeste de plein air, quand il fait beau.

CHEZ ELLE

Claire accueille volontiers ses amies dans sa grande maison. Surtout Virginie, Lorène, Romy, Chloé, Bélinda, Caroline et Mathilde. Elle aime bien recevoir. Elle a le sens de l'hospitalité, comme la plupart des gens du Nord.

CHATS ET ENTRECHATS

Après la danse, la passion de Claire, c'est sa collection de chats. Il y en a tellement qu'elle ne sait plus où les mettre et sa maman en retrouve partout !

Ses chaussons de danse classique

LE PIANO

Claire n'est ni trop bouquins, ni trop télé, c'est vraiment la danse qui la fait vibrer… et tout de suite après, le piano.

Le terril naît de l'amoncellement des déblais de la mine.

Marie-Anne

Marie-Anne, 11 ans, déteste qu'on l'appelle Marianne. Elle habite à Vermelles, dans le Pas-de-Calais. «Je suis grande, j'ai les yeux bleus et de longs cheveux bruns. J'aime la danse moderne, le saxophone et certains groupes de Boys Bands. Plus tard, je voudrais être vétérinaire... Ou peut-être sage-femme. Je n'ai pas encore vraiment choisi.» Marie-Anne a une fierté : sa famille, dont tous les hommes sont pompiers volontaires !

VERMELLES

LE BASSIN MINIER

Marie-Anne a grandi dans le bassin minier. Depuis sa plus tendre enfance, elle ouvre la porte de sa maison sur le vestige de l'exploitation minière : un terril. Celui qui se trouve devant sa fenêtre, recouvert de végétation, d'herbe et d'arbres, ressemble désormais à une petite montagne.

Michel, son père, est technicien de maintenance dans une entreprise qui fabrique des moteurs pour automobile.

Sa mère, Marie-France, est adjoint administratif au tribunal de grande instance de Béthune. Elle est secrétaire du procureur, comme dit Marie-Anne.

Son frère Julien a 14 ans.

Son père   Son oncle   Son grand-père

POMPIERS DE PÈRE EN FILS

Son père, son oncle et son grand-père sont des pompiers volontaires. «Ils aident les personnes en détresse. Je trouve ça formidable, même s'ils ne sont pas beaucoup à la maison à cause des interventions.»

Grâce à l'arbre généalogique qu'a réalisé sa mère, Marie-Anne sait que ses grands-parents sont nés dans le nord de la France. L'un de ses grands-pères a été mineur à la fosse 4 de Vermelles et à la fosse 9 d'Oignies.

LE MARAIS

Marie-Anne aime sa région. L'endroit qu'elle préfère à Vermelles est situé à quelques centaines de mètres de chez elle : c'est le Marais, un petit paradis de verdure, niché en plein centre-ville, avec des jeux pour les enfants et beaucoup d'espace pour se promener. Marie-Anne est d'ailleurs passionnée par la nature.

Ses grands-parents paternels

Ses grands-parents maternels

«Je vis avec mes parents et mon frère aîné. On joue très souvent tous les deux : aux billes, on révise notre solfège... J'ai un cousin de 4 ans, de temps en temps on joue ensemble chez mes grands-parents. J'ai aussi trois cousines, Marjorie (13 ans), Élodie (9 ans) et Maëva (5 ans). Quand on se voit, devinez à quoi on joue ? Aux pompiers, bien sûr !»

SES GRANDS-PARENTS

Marie-Anne est très liée à ses grands-parents. Tous les jours, avant d'aller à l'école, ses parents la déposent chez eux, en attendant que sonne la cloche. Et quand elle ne leur rend pas visite, c'est eux qui viennent chez Marie-Anne. Ils se voient tous les jours. «Je suis déjà partie en voyage avec eux, la dernière fois c'était à Paris.»

«Ma maison n'a pas d'étage. Il y a une grande cour et un jardin, dont s'occupe mon grand-père maternel. Il cultive des pommes de terre, des carottes, des salades... Ici, les maisons sont en briques, en parpaings ou en plaques de béton. Certains vivent encore dans les maisons des mines : dans ces corons, les maisons sont alignées, toutes identiques.»

LA DANSE

Tous les mercredis après-midi, depuis maintenant cinq ans, Marie-Anne prend le chemin de l'école de danse. «De la danse moderne», tient-elle à préciser !

Pour aller à l'école, Marie-Anne choisit elle-même ses affaires. C'est avec un tee-shirt et un pantalon à pattes d'éléphant qu'elle se sent le plus à l'aise. Il lui arrive aussi de mettre des jupes, mais c'est plutôt rare.

Marie-Anne danse
le charleston !

Marie-Anne

Marie-Anne a choisi elle-même les couleurs de la tapisserie de sa chambre : jaune en haut, rouge en bas, avec une frise de danseuses au milieu.

" *Deux fois par an, Vermelles organise une ducasse : c'est une fête communale que l'on retrouve en Flandre, en Artois et aussi en Belgique. En plus des manèges et des autres stands de jeux, il y a de l'ambiance dans tout le village. Tout se termine souvent le soir avec un bal musette. Les gens se rassemblent autour de l'accordéon et dansent une bonne partie de la nuit.* "

«Je fais beaucoup de choses dans ma chambre. J'y travaille mes leçons, j'écoute de la musique, c'est aussi une salle de jeux quand mes amies viennent à la maison. La seule chose que je n'y fais pas, c'est regarder la télé.»

Mélanie et Marie-Anne sont ensemble depuis la maternelle et se voient dès qu'elles le peuvent : tantôt chez l'une, tantôt chez l'autre.

Marie-Anne a particulièrement apprécié son institutrice, Mme Duthérage, qu'elle trouve très gentille. Elle s'est tout de suite bien entendue avec elle.

Quand elle n'est pas à la danse, à la musique ou à l'école, Marie-Anne aime les jeux de société : avec son frère ou avec ses copains, elle joue au Super Cluedo, au Trivial Poursuite, à Baisers volés ou à Photo Mystère...

«J'habite à 2 km de mon école. Mais comme mes parents travaillent de bonne heure, je vais passer une heure chez mes grands-parents. L'année prochaine, ce ne sera plus la même chose, car j'irai à l'école à Béthune et je mangerai certainement à la cantine.»

Son école

Marie-Anne préfère l'école aux vacances. Et de loin. Elle est toujours dans les premières ! À la récréation, les élèves jouent à attraper les garçons au ballon, ils font du roller et du tennis.

Mélanie

Au centre aéré

Marie-Anne passe une bonne partie de ses vacances au centre aéré, où elle participe à de nombreuses activités, comme chanter ou préparer des spectacles de danse.

Son ours préféré

Marie-Anne, depuis cette année, prend des leçons de saxophone.

«J'entends parler patois depuis que je suis toute petite : ch'tien *(ce chien)*, baraque *(maison)*, cayelle *(chaise)*... Mon grand-père, lui, parle patois. Je pense avoir un peu l'accent du Pas-de-Calais, comme le Toulousain aura celui de Toulouse. C'est normal, je parle comme les gens d'ici.»

Ses amis

Les amis, voilà un sujet très important pour Marie-Anne. Sa meilleure amie s'appelle Mélanie. Ensemble, elles mettent sur pied des petites pièces de théâtre et des spectacles de danse. Mais elles aiment aussi jouer au foot à la récré ou au centre aéré.

Quelques-unes de ses poupées de collection

«J'avais une belle collection de timbres, mais je l'ai arrêtée. J'en ai fait cadeau à mon grand-père pour qu'il complète la sienne. Je n'ai gardé que mes poupées de collection.»

La télé

Marie-Anne n'aime pas trop lire et préfère regarder la télévision : les séries comme Les Années collège ou Les Années fac, les films *(Dirty Dancing)* sont ses programmes préférés.

AUTOUR DE LENS

Le charbon, exploité jusque dans les années 1960, a fait de la ville de Lens une cité industrielle. Autour, la campagne se caractérise par des villages groupés et des champs ouverts où l'on cultive surtout le blé et la betterave.

Julien

Si son nom (Martin) est bien français, Julien, du haut de ses 10 ans, revendique haut et fort ses origines polonaises. Il trouve d'ailleurs que les Polonais sont en général plus souriants que les Français et qu'ils ont davantage le sens de la fête. «Je n'ai ni frère ni sœur mais un chien, il s'appelle Max. C'est un barbu tchèque et c'est mon meilleur ami. Mes sports favoris sont le football et la piscine. À ce sujet, comme je suis un peu enveloppé, Jeanine me taquine en me disant que j'ai des flotteurs.»

Jeanine, sa mère, est employée de mairie à Rouvroy.

Julien

Son père, Christian

Max, le chien

Julien aime jouer au foot avec son grand-père Jean dans son jardin.

SA MAISON

Julien habite une belle maison, la dernière d'une impasse, dans un petit village à 7 km de Lens. Elle est entourée de champs. «C'est très calme. C'est la dernière habitation de l'impasse, ce qui fait que je peux jouer au foot dans la rue sans danger. Derrière, il y a un jardin et un grand champ. C'est là que Max dort. Il a une petite maison pour lui tout seul.»

Parfois Jean, son grand-père, raconte à Julien la vie telle qu'il l'a connue dans les corons, situés du côté de Fouquières-lès-Lens et de Noyelles-sous-Lens. Là-bas, les Polonais habitaient les uns à côté des autres, tout le monde y parlait polonais. Les commerces eux-mêmes étaient polonais.

SES RACINES POLONAISES

Si Julien se sent parfaitement français, il n'oublie pas ses origines polonaises. Elles sont pourtant lointaines : sa grand-mère n'est allée en Pologne qu'une seule fois, à l'âge de 5 ans. C'était dans la grande ferme familiale. Depuis, elle n'y est plus retournée. Julien, lui, n'y est jamais allé.

Sa grand-mère maternelle

Son grand-père maternel, Jean, est d'origine polonaise.

SA FAMILLE

Julien a la particularité d'appeler ses parents par leur prénom : papa et maman ont été remplacés par Christian et Jeanine. Ce n'est pas par excès de camaraderie, ni par manque de respect. Sa maman explique que c'est arrivé comme ça, naturellement.

«Bien sûr, j'entends parler polonais autour de moi. Jeanine et mamie parlent ensemble en polonais, je comprends certains mots mais je ne le parle pas. Je reconnais aussi le ch'timi, le patois parlé dans le Pas-de-Calais, l'anglais, le polonais et le marseillais.»

Julien collectionne des pogues, mais aussi des cartes Panini de Dragon Ball Z, des images de foot, quelques petites voitures et aussi des billes.

Son arrière-grand-mère maternelle, Bronislawa, ne parle que le polonais.

«Toute ma famille vit dans le Pas-de-Calais et dans la Somme. J'ai encore mes deux arrière-grand-mères. Elles ont connu les deux guerres. Elles en parlent de temps en temps avec moi.»

SES GRANDS-PARENTS

Tous les matins, Julien va chez ses grands-parents qui habitent à proximité de l'école. Son grand-père était mineur.

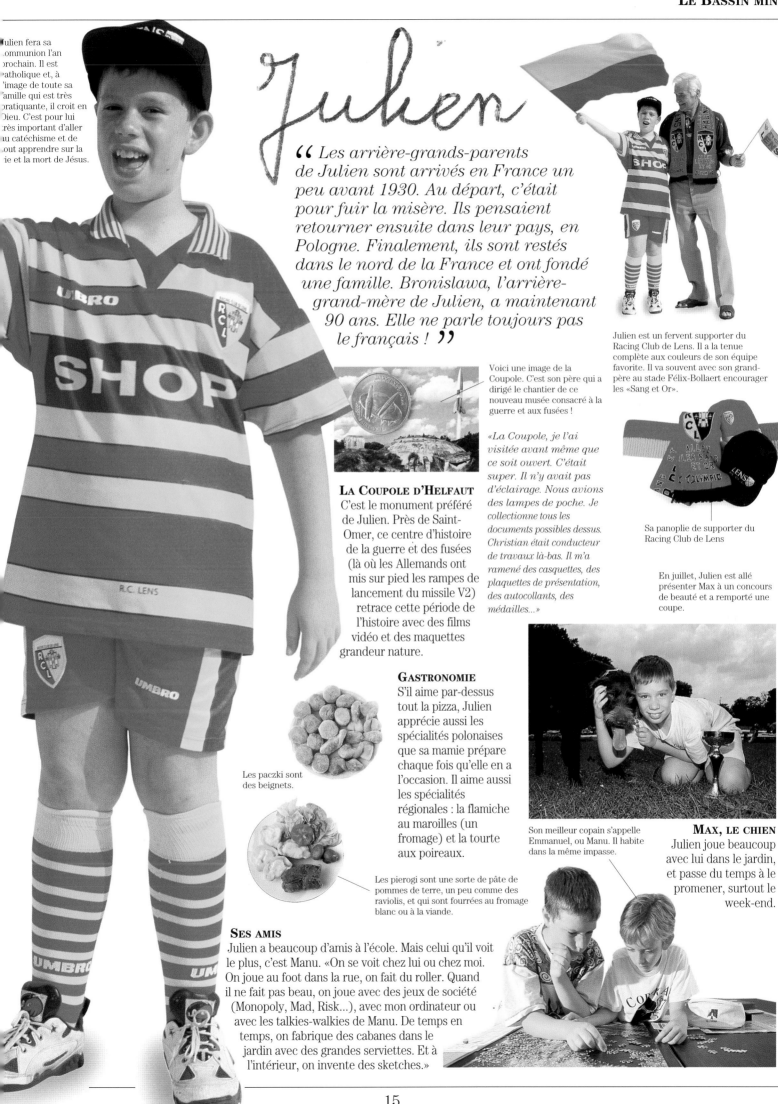

Julien fera sa communion l'an prochain. Il est catholique et, à l'image de toute sa famille qui est très pratiquante, il croit en Dieu. C'est pour lui très important d'aller au catéchisme et de tout apprendre sur la vie et la mort de Jésus.

Julien

" *Les arrière-grands-parents de Julien sont arrivés en France un peu avant 1930. Au départ, c'était pour fuir la misère. Ils pensaient retourner ensuite dans leur pays, en Pologne. Finalement, ils sont restés dans le nord de la France et ont fondé une famille. Bronislawa, l'arrière-grand-mère de Julien, a maintenant 90 ans. Elle ne parle toujours pas le français !* "

Voici une image de la Coupole. C'est son père qui a dirigé le chantier de ce nouveau musée consacré à la guerre et aux fusées !

LA COUPOLE D'HELFAUT

C'est le monument préféré de Julien. Près de Saint-Omer, ce centre d'histoire de la guerre et des fusées (là où les Allemands ont mis sur pied les rampes de lancement du missile V2) retrace cette période de l'histoire avec des films vidéo et des maquettes grandeur nature.

« La Coupole, je l'ai visitée avant même que ce soit ouvert. C'était super. Il n'y avait pas d'éclairage. Nous avions des lampes de poche. Je collectionne tous les documents possibles dessus. Christian était conducteur de travaux là-bas. Il m'a ramené des casquettes, des plaquettes de présentation, des autocollants, des médailles... »

Julien est un fervent supporter du Racing Club de Lens. Il a la tenue complète aux couleurs de son équipe favorite. Il va souvent avec son grand-père au stade Félix-Bollaert encourager les «Sang et Or».

Sa panoplie de supporter du Racing Club de Lens

En juillet, Julien est allé présenter Max à un concours de beauté et a remporté une coupe.

GASTRONOMIE

S'il aime par-dessus tout la pizza, Julien apprécie aussi les spécialités polonaises que sa mamie prépare chaque fois qu'elle en a l'occasion. Il aime aussi les spécialités régionales : la flamiche au maroilles (un fromage) et la tourte aux poireaux.

Les paczki sont des beignets.

Les pierogi sont une sorte de pâte de pommes de terre, un peu comme des raviolis, et qui sont fourrées au fromage blanc ou à la viande.

Son meilleur copain s'appelle Emmanuel, ou Manu. Il habite dans la même impasse.

MAX, LE CHIEN

Julien joue beaucoup avec lui dans le jardin, et passe du temps à le promener, surtout le week-end.

SES AMIS

Julien a beaucoup d'amis à l'école. Mais celui qu'il voit le plus, c'est Manu. «On se voit chez lui ou chez moi. On joue au foot dans la rue, on fait du roller. Quand il ne fait pas beau, on joue avec des jeux de société (Monopoly, Mad, Risk...), avec mon ordinateur ou avec les talkies-walkies de Manu. De temps en temps, on fabrique des cabanes dans le jardin avec des grandes serviettes. Et à l'intérieur, on invente des sketches.»

Line

Line, 11 ans, très sportive, est toujours en mouvement. «Plus tard, j'aimerais faire un métier en relation avec les animaux ou qui rende service aux gens. Mon rêve serait d'être cuisinière et d'avoir un restaurant, parce que j'adore faire la cuisine, même si je ne mange pas beaucoup. Et si tout ça ne marche pas, je m'engagerai dans un cirque : je suis une vraie acrobate. Aujourd'hui, ce qui compte le plus pour moi, c'est l'école et la lecture, mais surtout ma famille. Parce que ce que je déteste le plus, c'est d'être seule et de m'ennuyer.»

MULHOUSE

MULHOUSE

C'est la seconde ville d'Alsace, et Richwiller, où habite Line, n'est qu'à quelques kilomètres. Cette région fait partie de ce qu'on appelle le bassin potassique d'Alsace : les mines, ouvertes en 1904 et qui seront fermées en 2004, ont fait de Mulhouse la capitale mondiale de la potasse, un minerai employé comme engrais.

Rémy, son papa, 42 ans, tient un commerce d'instruments de musique à Mulhouse avec son frère aîné Michel.

Chantal, sa maman, 34 ans, est enseignante.

Sa sœur Noémie a 5 ans.

Sa sœur Claudia a 9 ans.

À la rentrée 1997, Line entrera en 6ᵉ au collège à Wittelsheim. «Depuis le CM1, on a des cours de religion à l'école : on y apprend le nom des prophètes, on lit la Bible, on nous explique les autres religions, l'islam, le bouddhisme et le judaïsme.» En Alsace, en effet, l'Église a un statut à part depuis 1801 : l'enseignement religieux y est obligatoire.

AUX ÉCHECS
Line fait partie d'un club d'échecs, où elle va jouer de temps en temps. «J'aime bien les jeux de réflexion.»

Son échiquier

Publicité ancienne pour la potasse

POTASSE D'ALSACE

LES MAISONS DES MINES
Les maisons des mines sont nombreuses à Richwiller. Construites pour les ouvriers des mines de potasse, elles sont en briques, souvent accolées, plutôt petites. Les maisons alsaciennes traditionnelles étaient en revanche en torchis, un mélange de boue et de paille. Jadis les toits étaient en paille, ils sont aujourd'hui en tuiles rondes.

Mémé, sa grand-mère maternelle, s'appelle Marie-Thérèse.

Mamie, sa grand-mère paternelle, est veuve. Elle s'appelle Élisa.

Line, dans la boutique de musique de son père

SES GRANDS-PARENTS
Line a deux grand-mères et un grand-père qu'elle voit moins souvent parce qu'il habite plus loin. «Je vois ma mémé au moins deux fois par semaine et ma mamie une semaine sur deux. Quand je suis avec l'une d'elles, je leur donne un coup de main à la maison, je vais chercher le pain à la boulangerie par exemple. On regarde la télé ensemble et on discute.»

SES COUSINS
Line a cinq cousins et cousines : Laura, 27 ans, Étienne, 20 ans, Laetitia, 17 ans, Fanny, 7 ans, et Clara, 5 ans. «Je vois Fanny et Clara une fois par semaine, quand on va chez mamie.» Ce sont les filles de Michel. Elles habitent à Zillisheim, à 7 km de Mulhouse.

LES WEEK-ENDS EN FAMILLE
«Le week-end, on commence par les courses. Avec maman, on fait aussi les marchés aux puces. L'après-midi, je fais du roller avec papa, des jeux de plein air, des balades à pied ou à vélo, ou des jeux de société en hiver, comme le Memory (où il faut retrouver deux cartes allant ensemble). On va de temps en temps au cinéma en famille.»

«Mes meilleures amies sont Élodie, que j'ai rencontrée à la maternelle (nos mamans se connaissent), et Francisca, qui vient d'Allemagne et que j'ai connue à l'école. On forme un vrai trio.»

Line tient beaucoup à sa montre.

«Je porte d'habitude des pantalons, souvent noirs, car c'est ma couleur préférée, et une grosse montre noire que mes parents m'ont offerte pour Noël.»

Line

«Je ne parle pas l'alsacien mais je comprends des bribes de phrases parce que mémé le parle souvent.»

❝ *Je n'attache pas d'importance particulière aux vêtements. Je choisis toujours la tenue la plus pratique : pas de jeans moulants, des tee-shirts plutôt longs et des sandales avec des scratchs aux pieds.* **❞**

Line a un livre de Hansi, l'illustrateur alsacien le plus célèbre.

LA LECTURE

Pour Line, lire est une activité vitale. «En ce moment, je lis *Être libre*, une bande dessinée qui raconte l'histoire de deux adolescents découvrant la vie. Je lis aussi des romans d'aventures et des livres qui font peur mais se terminent bien. Je lis le soir au moment de me coucher, sinon je n'arrive pas à dormir.»

Line collectionne les pierres et les cartes postales qu'elle trouve ici ou là.

EN ROLLER RUE MANICOR

À Richwiller, Line rejoint Jérôme et Guillaume (sur la photo) pour faire du roller. «Le premier part et va sonner chez un autre, tous deux vont en chercher un troisième et ainsi de suite. En règle générale, on est six ou sept. En hiver, on se retrouve tous à la sortie de l'école pour faire des batailles de boules de neige.»

«La rue que je préfère à Richwiller est la rue Manicor parce qu'elle est en pente et que c'est l'idéal pour faire du roller.»

«J'aime bien dessiner, même si je trouve que je ne dessine pas bien : je fais le portrait de mes sœurs.»

LA SAINT-NICOLAS

En Alsace, le 6 décembre, saint Nicolas, patron des écoliers, passe dans les écoles ou dans les foyers en compagnie du Père Fouettard, le «Hanstrapp», et demande aux enfants s'ils ont été sages avant de leur offrir des bonbons ou des petits cadeaux.

La flammekueche est une tarte à la crème fraîche, aux lardons et aux oignons.

À TABLE

«Mes plats préférés sont le riz ou les pâtes avec une viande en sauce. Les spécialités culinaires alsaciennes sont le kougelhof (une brioche au levain), la choucroute, les tartes flambées (flammekueche).»

Line dessine.

«Je fais du judo en club, une fois par semaine, et aussi du basket, du volley, du vélo et du roller.»

LE CENTRE-VILLE D'OBERNAI
Umit habite dans le centre-ville d'Obernai, en Alsace, une ville touristique dont les maisons sont construites dans le style traditionnel alsacien, avec des colombages. Les rues sont souvent étroites. «La maison dans laquelle nous avons un appartement est située dans une ruelle un peu en retrait.»

Umit a huit cousins âgés de 4 à 26 ans, et qui habitent Izmir, Istanbul ou Sivas en Turquie. «J'aime bien voir mes cousins. Ensemble on va à la plage, on se promène, on va camper ou pique-niquer et on fait des barbecues.»

«L'endroit que je préfère à Obernai, c'est le parc près de chez moi, où il y a de la verdure et des arbres.»

Son frère Selçuk a 26 ans. Il est marié a Valérie. Ils ont trois fils : Anthony, 6 ans, Bruno, 5 ans, et Quentin, 8 mois. Il habite à Saint-Nabor.

Sa mère, Sakiné, travaille à temps partiel dans l'association «Pain contre la faim».

Umit

«Mon prénom, Umit, signifie Espoir en turc. Je suis de taille moyenne et un peu plus large que les autres. Plus tard, je pense travailler dans l'électronique comme mes frères. Mais mon rêve serait d'être acteur : j'aime beaucoup les films d'action, et comme je fais du karaté, je voudrais faire du cinéma comme Jackie Chan. Le plus important pour moi aujourd'hui dans la vie, c'est l'école. Je n'ai pas d'idée précise pour mon avenir. J'aimerais simplement avoir un bon travail, une belle maison et une famille.»

OBERNAI

«Les maisons ici sont à colombages, c'est-à-dire avec des poutres en bois croisées et des murs en torchis. La plupart sont de couleur ocre pastel, certaines dans les tons de rose, de jaune ou de vert et bleu pastel. Je n'aime pas tellement les colombages, mais à l'époque on devait sans doute faire ça pour que ça tienne mieux. En sortant du centre historique, les maisons sont plus modernes, plus grandes et plus belles.»

Son frère Tolga a 23 ans. Il vit à Obernai.

Sa sœur Canan, 27 ans, est mariée avec Murat et a deux enfants : Anaïs, 4 ans et demi, et Erdem, un petit garçon de 1 an et demi. Ils habitent Strasbourg et Canan est mère au foyer.

LES FÊTES
Pour Umit, la fête la plus importante est le nouvel an «parce que toute la famille est réunie». La famille célèbre aussi la fête nationale turque le 23 avril, mais également les fêtes familiales (anniversaires) et les fêtes chrétiennes.

Umit aime beaucoup jouer dans le parc à côté de chez lui.

SES GRANDS-PARENTS
Umit ne parle jamais de ses grands-parents paternels. Quant à ses grands-parents maternels, Sultan et Hasan, ils ont tous les deux plus de 70 ans. «On ne connaît pas exactement leur âge, c'est comme ça, là-bas. Ils ont une ferme à Sivas… Il y a aussi des champs de blé, des légumes et des fruits. Quand on y va en famille, on les aide pour les travaux des champs.»

SA FAMILLE
Umit vit avec sa maman, Sakiné, 49 ans, née à Sivas, près d'Ankara, dans le centre de la Turquie. Ses parents sont arrivés en France en 1973 et, à leur arrivée, se sont installés à Mutzig. Auparavant, ils habitaient Istanbul. Ils ont divorcé il y a deux ans. Umit et sa maman vivent dans leur appartement d'Obernai depuis 1994.

Son grand-père, Hasan, et sa grand-mère, Sutan, entourés de nombreux cousins, oncles et tantes d'Umit.

«La France est un pays de paix, où il y a moins de problèmes qu'en Turquie. Je me sens plus Français. Avoir deux cultures, c'est plutôt positif. Mais pour moi, je ne me pose pas de questions, c'est quelque chose de normal, ça a toujours été comme ça.»

Umit, sa mère et des cousins, dans la Méditerranée, en vacances en Turquie.

LES VACANCES
Umit préfère les vacances à l'école. Chaque été, il part en Turquie, à Sivas, chez ses grands-parents maternels, puis au bord de la mer, toujours en Turquie.

Ce puzzle représente Istanbul, la ville la plus célèbre de Turquie.

«Je crois qu'en dehors de l'école, je passe plus de temps avec mes frères qu'avec mes copains. Je vois moins ma sœur à Strasbourg, parce qu'il faut y aller en train. Avec maman, on y va deux fois par mois environ».

LA RELIGION
La famille d'Umit est musulmane mais non pratiquante. Elle est laïque : «Les guerres ont fait trop de mal.» Umit, lui, ne croit pas beaucoup en Dieu. Il ne suit pas de cours de religion.

Je regarde la télé le
matin pour les dessins
animés. Mes préférés
sont Dragon Ball Z et
les Chevaliers du Zodiac.
J'aime bien aussi les
documentaires. Le soir
avec maman, on
regarde des films.
J'adore ceux d'action
et les comédies. Avec
les copains, on visionne
aussi parfois des
cassettes vidéo. »

Umit

« *Cet été, un des cousins sera circoncis. La
fête aura lieu à Istanbul. Toute la famille
sera là et l'enfant sera habillé comme
un prince. Après, on ira à Canakale,
qui est une station balnéaire en
dessous d'Istanbul, avec une de mes
tantes et son mari. On va profiter
de la mer. J'aime bien la mer et
j'aime bien nager.* »

LE KARATÉ

Le passe-temps préféré
d'Umit, c'est le karaté.
Il le pratique au NWK,
le *Nippon Wado Kai*.
L'entraînement a lieu
une fois par semaine
dans une salle de
sports à Mutzig. Son
club est affilié à la
Fédération française
de karaté.

LES AMIS

Parmi sa quinzaine de copains, Umit en préfère
quatre : Reynald, Joseph, Geoffrey et Sidney.
Son meilleur ami, Reynald, est parti à
Orléans, mais ils s'écrivent
souvent. «On se voit à
l'école mais aussi en
dehors des cours. On
joue aux jeux vidéo
ou au "Omaomao".
Il faut un jeu de 54
cartes et le premier
qui n'a plus de cartes a
gagné. En règle générale,
c'est moi qui gagne parce que j'ai
souvent les valets qui sont les cartes
les plus fortes.»

Geoffrey

Les *köfte* sont
des boulettes
de viande.

Les *sarma* sont
des feuilles de
vigne farcies.

Les *biber
docmasi*, ou
poivrons farcis.

Les cookies
aux noix, ou
cevizli kuki.

«Je lis beaucoup, en
général le soir avant de
dormir. J'aime les
romans, surtout la
science-fiction. En ce
moment je lis L'Enfant et
la rivière d'Henri Bosco.
J'ai beaucoup aimé le
livre d'Antonio
Skarmeta, T'es pas mort :
c'est l'histoire d'une
famille chilienne qui
arrive à Paris et qui est
confrontée à toutes
sortes de problèmes, au
racisme… Ensuite je
lirai Oliver Twist de
Charles Dickens et Rage
de Stephen King.»

LA GASTRONOMIE

Umit aime presque
tout, mais préfère
le salé au sucré.
«Les spécialités
turques sont assez
simples à réaliser, et
j'aide parfois maman à
les préparer. Il y a les
börek, les pizzas
turques, les *potchas*,
qui sont de petits pains
farcis au fromage ou à
la viande. Maman fait
aussi des petits gâteaux
avec des noisettes par
exemple. Elle fait aussi
des spécialités
alsaciennes, comme la
flammekueche.»

LE VÉLO

Umit fait
beaucoup
de VTT,
dans le
parc,
avec
ses
amis.

SA CONSOLE

S'il aime la télé, Umit
passe plus de temps à
jouer sur sa console : il
navigue aussi bien dans
les jeux de combat que
de plate-forme.

«J'ai une collection
de fèves, celles que
l'on trouve dans les
galettes des rois. J'en ai trente
ou quarante. Ma préférée, c'est un
gros personnage inspiré de Spirou. La plupart, ce
sont des amis qui me les ont données.»

De chez lui, Gauthier voit toute la ville.

La Moselle

Gauthier

«Je m'appelle Gauthier. J'ai 9 ans et demi. J'habite à Épinal, dans les Vosges. Je suis petit et très sportif, maman dit que je n'arrive pas à tenir en place. Plus tard, je veux être pompier ou architecte. Pompier pour l'action, et architecte parce que je vois mon papa le faire et j'aime bien.»

ÉPINAL

CHEZ GAUTHIER

Gauthier loge dans un immeuble perché sur un rocher en limite de la ville. L'appartement a été aménagé par le papa de Gauthier, qui est architecte.

«Dans mon quartier, les gens habitent dans des immeubles, mais dans la région, il y a de belles maisons en pierre, comme celle de mamie Monique avec des tuiles rouges au-dessus. J'aimerais bien habiter une maison parce que dans l'immeuble, on ne peut pas faire trop de bruit en jouant. Mais il faudrait que la maison soit décorée comme ici.»

Margot, sa petite sœur, a six ans.

Son père, Gérald, est architecte.

Sa mère, Marie, est secrétaire.

Gauthier

«Mon papa est très sportif. Il court une heure et demie tous les jours et, des fois, il fait des marathons. Quand ce n'est pas trop loin, je vais le voir et l'encourager. Sinon, je vais chez Mamie Monique, et Margot passe la journée chez mamie Carmela. Elle a ce prénom parce qu'elle est italienne.»

SA FAMILLE

Gauthier vit avec ses parents et sa petite sœur Margot avec qui il joue beaucoup. «On dessine, et après on accroche les dessins dans la salle de jeux. J'essaie de montrer à Margot la console de jeux, mais elle a du mal à bien jouer. Comme elle ne sait pas encore bien lire, on ne peut pas s'amuser à tous les jeux de société.»

Quand il s'entraîne en kayak sur la Moselle, le fleuve qui traverse la ville, sa mère peut parfois le voir passer depuis l'appartement !

Panda, sa peluche préférée

SA CHAMBRE

Gauthier partage sa chambre avec sa sœur Margot. Ils ont chacun un grand lit, mais souvent ils préfèrent dormir ensemble avec Panda, la peluche fétiche de Gauthier.

«Des fois avec Margot, on se fait un signe de croix avant de s'endormir. Je crois en Dieu mais je ne vais pas au catéchisme.»

UN BON ÉLÈVE

Cette année, Gauthier passe en CM2. Son institutrice est gentille, mais elle le punit souvent parce qu'il est bavard : «Je me retrouve au fond de la classe alors que je suis assez petit.» Gauthier est un bon élève, surtout en maths, où il a souvent 20 sur 20 : lors d'un concours en CE2, il avait terminé cinquième des Vosges !

«À part les bandes dessinées, je ne lis pas beaucoup, parce que ça m'ennuie vite. Le matin, pendant le petit déjeuner, que je prends avec maman, je fais des mots fléchés et des anagrammes parce que maintenant je n'ai plus le droit de regarder les dessins animés à la télévision avant l'école.»

Chez Gauthier, certains murs sont recouverts de bois clair. Le travail du bois est d'ailleurs une activité traditionnelle des Vosges.

Francesco, son grand-père maternel

Carmela, sa grand-mère maternelle

SES GRANDS-PARENTS PATERNELS

Gauthier voit très souvent ses grands-parents. Le soir, sa mamie Monique vient le chercher à la sortie de l'école. Ensuite, sa maman passe le prendre et, ensemble, ils vont chercher Margot chez son autre grand-mère. La semaine, il voit moins son père car il part très tôt au travail et rentre souvent quand Gauthier est déjà couché.

Monique, sa grand-mère paternelle

Jean, son grand-père paternel

Gauthier s'habille presque toujours en tenue de sport. Il évite les jeans, car ça le gêne pour courir dans la cour avec ses copains.

Gauthier

❝ *L'année dernière, j'ai pleuré à la fin des classes parce que, pendant les vacances, on voit moins les copains. Tous les ans, je vais en colonie l'été, en décembre et pendant les vacances de Pâques. Une fois, je suis allé à Paris pendant trois jours, quand papa faisait un marathon. J'ai trouvé ça très joli mais je préfère habiter ici, parce qu'il y a moins de bruit.* ❞

Gauthier est champion départemental de kayak chez les poussins ! Épinal compte d'ailleurs de nombreux champions de kayak.

UN VRAI SPORTIF

Gauthier suit quatre entraînements par semaine. Deux de kayak, un de tennis, et un de basket. Il est très sportif mais parfois il doit faire des choix entre ses activités : «Souvent le week-end, j'ai trop de compétitions. Je laisse tomber le basket car ils peuvent se passer de moi, et je vais au kayak pour marquer des points au championnat.»

Son ballon de basket

Matthieu est son plus vieux copain : ils se connaissent depuis toujours car leurs mamans sont amies.

Gauthier et Matthieu s'amusent à lancer des cailloux.

«J'ai cinq super-copains. Mathieu, mais aussi Martin, Lucas, Pierre et Clément, qui sont dans ma classe. Martin et Clément font du tennis avec moi, et Lucas est dans mon équipe de basket. Des fois, on s'appelle pour faire encore plus de sport. Et, à la récréation, on joue au loup avec les filles.»

La tarte aux mirabelles est une spécialité de la région.

Ses mousquetons pour l'escalade

Son baudrier

L'ESCALADE

Pendant certaines vacances, Gauthier part faire de l'escalade dans la nature. Il y a en effet beaucoup de montagnes dans les Vosges.

SES PLATS FAVORIS

Gauthier adore la vraie purée et les salades de fruits que sa maman réussit à merveille. Elle fait aussi très bien la quiche lorraine et les tartes aux mirabelles.

À côté de la cité Konacker, où habite sa grand-mère, une fresque peinte sur le mur rappelle qu'en Lorraine on exploitait jadis de nombreuses mines de fer.

Nina

«Je m'appelle Nina. Pour ma famille, je suis bien Nina mais, à l'école, mes amis et seulement eux m'appellent Ninou. Mon nom de famille, c'est Puiatti car ma maman est d'origine sarde et mon papa est d'origine vénitienne. J'ai 10 ans, j'aime bien l'équitation et le piano. J'habite à Thionville, une grande ville en Moselle, pas loin de Metz.»

THIONVILLE

«Maman m'a dit qu'elle avait six ans quand elle est arrivée ici. Mon grand-père est venu en France pour son métier. Dans les années 1960, il n'y avait pas de travail en Sardaigne.»

Maryse, sa maman, s'appelait autrefois «Marisa», quand elle est venue de Sardaigne avec ses parents et ses deux frères et sœurs.

Son père, Serge, est né en France en 1952. Trois ans plus tôt, le grand-père de Nina avait quité la Vénétie pour travailler à Hayange, près de Thionville, dans la sidérurgie. Il s'est marié avec une Lorraine pure souche.

L'arbre généalogique de Nina

«Dans le salon, chez mes parents, il y a un petit arbre généalogique qu'on m'a offert à ma naissance. Il y a même le nom de mes arrière-grands-parents dessus.»

Nina

«C'est mon grand-père qui a appris l'italien à ma grand-mère lorraine. Je ne les vois pas très souvent parce que, depuis qu'ils sont à la retraite, ils sont retournés en Italie.»

SA FAMILLE
Nina est fille unique. Elle habite ave sa mère, chargée de mission, et son père, éditeur. «Maman s'occupe des gens en difficulté, de la drogue, des délinquants et tout ça…».

Madalena et Gustavo, les arrière-grands-parents sardes de Nina.

SA MAISON
«Nous vivons dans un appàrtement de six pièces dans le centre de Thionville. J'aimerais mieux avoir une grande maison avec un jardin parce que mes parents pourraient alors m'offrir un chien.»

LA CITÉ KONACKER
Nina rend visite très souvent à sa Nonna (grand-mère, en italien) et à ses cousines. «Nonna Anna» habite toujours la maison de famille, celle où elle a emménagé avec son mari à leur arrivée en France, dans la cité du Konacker, quartier ouvrier de Hayange, là où logeaient les ouvriers de la sidérurgie, en particulier les immigrés italiens.

Ces masques vénitiens décorent l'appartement de Nina.

Le drapeau italien

«Une fois, j'ai fait le tour à vélo de la cité Konacker avec ma cousine : toutes les maisons se ressemblent, il faudrait peut-être les retaper ; il y a un petit jardin avec des fleurs et le voisin a des lapins. Quand ma grand-mère veut discuter avec lui, elle toque au mur et ils sortent pour se parler.»

«Pour moi, une vraie amie, c'est quelqu'un qui ne me laisse pas tomber. Avec Cyrielle, on rit tout le temps. Des fois, en cachette, on fait des bêtises. J'ai aussi un petit ami. Il s'appelle Kevin, il a 10 ans. Je le trouve sympa et rigolo.»

Audrey, 9 ans, est la cousine de Nina.

SES AMIES
«Mes meillleures amies sont Claire, Pauline, Anne-Charlotte et Marie-Alice.» Mais Nina est un peu triste : Cyrielle, sa meilleure amie, vient de déménager en région parisienne : «On restera quand même amies. On se connaît depuis toutes petites, on avait la même nourrice et la même école depuis la maternelle.»

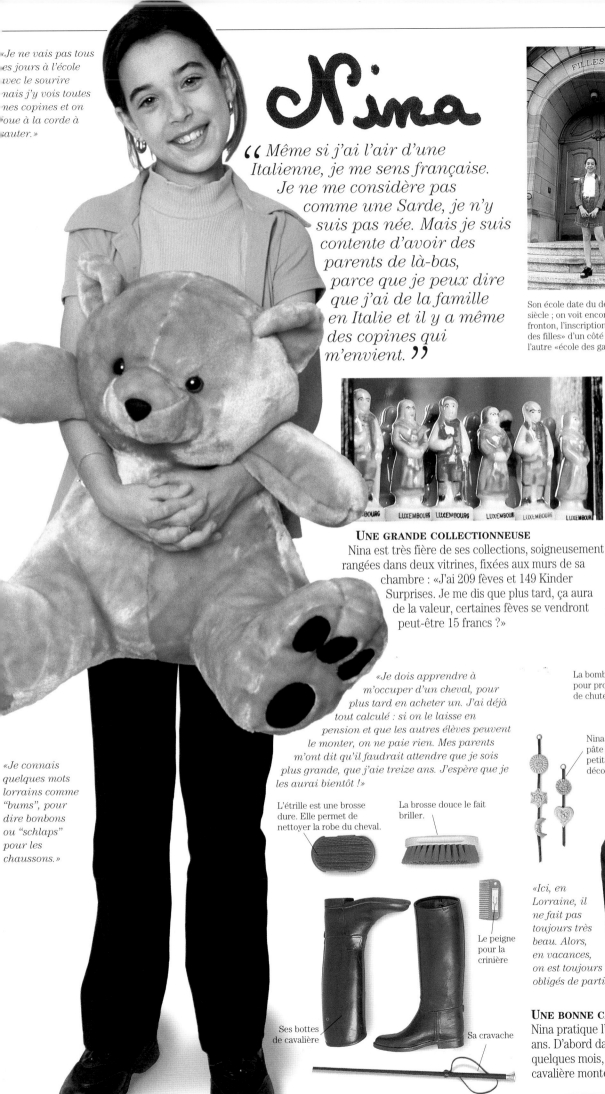

Nina

" *Même si j'ai l'air d'une Italienne, je me sens française. Je ne me considère pas comme une Sarde, je n'y suis pas née. Mais je suis contente d'avoir des parents de là-bas, parce que je peux dire que j'ai de la famille en Italie et il y a même des copines qui m'envient.* **"**

L'ÉCOLE

Nina est inscrite dans l'une des plus grandes écoles primaires publiques de Thionville, qui accueille environ 300 élèves. «Il y a une énorme cour, trois étages et une salle d'activité.»

Son école date du début du siècle ; on voit encore, sur le fronton, l'inscription «école des filles» d'un côté et de l'autre «école des garçons».

«Je vais en vacances en Italie, il fait plus beau, il y a plus d'arbres, plus de fleurs. Une fois, on a loué une très grande maison avec un barbecue. Il suffisait de faire dix pas et on était dans le sable sur la plage.»

À TABLE

Sa maman s'en étonne : Nina doit être une des seules, à la cantine, à aimer les œufs épinards à la sauce Béchamel ! À la maison, le plat préféré de Nina, c'est le steack haché avec des frites. «Quand je vais chez Nonna, tout ce qu'elle fait à manger, c'est meilleur.»

Les tomates mozzarella de sa «Nonna»

UNE GRANDE COLLECTIONNEUSE

Nina est très fière de ses collections, soigneusement rangées dans deux vitrines, fixées aux murs de sa chambre : «J'ai 209 fèves et 149 Kinder Surprises. Je me dis que plus tard, ça aura de la valeur, certaines fèves se vendront peut-être 15 francs ?»

«Je dois apprendre à m'occuper d'un cheval, pour plus tard en acheter un. J'ai déjà tout calculé : si on le laisse en pension et que les autres élèves peuvent le monter, on ne paie rien. Mes parents m'ont dit qu'il faudrait attendre que je sois plus grande, que j'aie treize ans. J'espère que je les aurai bientôt !»

La bombe est obligatoire pour protéger la tête en cas de chute.

Nina a réalisé en pâte à sel ces petits objets décoratifs.

L'étrille est une brosse dure. Elle permet de nettoyer la robe du cheval.

La brosse douce le fait briller.

Le peigne pour la crinière

«Ici, en Lorraine, il ne fait pas toujours très beau. Alors, en vacances, on est toujours obligés de partir.»

Ses bottes de cavalière

Sa cravache

UNE BONNE CAVALIÈRE

Nina pratique l'équitation depuis plus de quatre ans. D'abord dans un poney-club, puis, depuis quelques mois, dans un centre équestre. La cavalière monte à cheval deux fois par semaine.

Dans la région, les maisons, souvent à un étage, sont construites en schiste, une pierre grise. Les toits sont en ardoise.

Son village

Fanny habite Gespunsart, dans les Ardennes, à 3 km de la frontière belge. Le village (1 200 habitants) se situe à l'embouchure de la partie très encaissée de la vallée de la Meuse. C'est un pays de forêts qui cerne une vallée industrieuse, spécialisée dans la métallurgie, mais aujourd'hui en déclin économique.

«Ma fête préférée, c'est quand on brûle la Mémé fin février : c'est une très, très grande marionnette de chiffon et de paille qu'on jette dans le feu pour fêter la fin de l'hiver. On danse autour et on chante pour la Mémé : "Tu t'en vas, tu nous quittes, bon débarras." Et on mange l'omelette et des crêpes.»

Sa famille

Fanny est fille unique. Sa famille, originaire de la vallée, est à la fois belge et française. Du côté de son père, tous ont une activité en rapport avec l'industrie de la forge. La maman est, elle aussi, de Gespunsart. Son père était douanier, il a passé une partie de sa carrière à Marseille avant de revenir dans son village natal.

Fanny et son chien Isis

Fanny

«Je m'appelle Fanny, j'ai neuf ans. J'adore jouer avec mes copines dans le village, ou à la ferme près de chez moi. Plus personne n'y habite mais il y a encore des vaches. Elles sont très curieuses, elles nous regardent jouer aux billes ou faire des acrobaties dans la paille. Ce qu'il y a de plus important, pour moi, c'est que mes parents, Isis, mon chien, «Moumouss» (Moussaillon), mon chat, se portent bien. Mais je rêve un jour de partir en voyage en Égypte visiter les pyramides et observer les signes sur les murs.»

GESPUNSART

Son père, Pascal, travaille dans une entreprise de forge à Nouzonville, à 6 km de son domicile.

Chantal, la mère de Fanny, est aujourd'hui à la tête d'une PME de transports ambulanciers.

Fanny n'a plus que sa grand-mère paternelle, qui habite aussi le village. Elle passe beaucoup de temps en sa compagnie.

La maison qu'on voit derrière les mariés était dans la famille de la mère de Fanny depuis près de 200 ans. Elle a brûlé il y a quelques années, mais elle a été reconstruite : les parents de Fanny viennent de la racheter à une tante. Fanny est ravie : avec ses deux balcons en bois et son grand jardin, c'est exactement la «maison de ses rêves» !

Le Malbroutte

L'abreuvoir est un lieu important dans le village. Il s'appelle le Malbroutte, en souvenir du célèbre duc de Marlborough, chef des armées anglaises, qui terrorisa la France au XVIIIe siècle.

«Le catéchisme, je veux y aller depuis que j'ai 5 ans. Mais c'était trop jeune. Je trouve ça très intéressant. On va visiter l'église, on parle de la vie de Jésus et de Dieu. La messe, j'y vais toute seule à Gespunsart ou bien avec la voisine quand c'est à Nouzonville, un dimanche sur deux.»

«Chez moi, l'endroit que je préfère, c'est le salon, pour regarder la télé. Et puis en deuxième, c'est ma chambre. Elle est pour moi toute seule. Elle est décorée avec une tapisserie bleu et blanc avec des danseuses.»

«Le week-end, avec mes parents et mon chien Isis, on va se promener autour de Gespunsart. On fait des balades de 7 km à peu près. Dans la forêt, on cueille des champignons, ou bien du muguet.»

«Ma grand-mère s'appelle Ginette Baudrillard, mais on l'appelle mémère. Je vais la voir. On parle de tout, elle essaie de m'apprendre à tricoter, mais je n'y arrive pas. Ça m'énerve !»

Fanny adore les animaux et va souvent dans les champs pour leur dire bonjour.

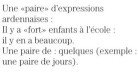
Fanny Baudrillard

« Moi, je n'ai pas envie d'aller vivre ailleurs. Je suis bien ici. J'ai toute ma famille. Je connais tout le monde et tout le monde me connaît. Et puis, de toute façon, je ne connais pas beaucoup d'autres endroits. »

UNE VRAIE ACROBATE

Fanny n'est inscrite dans aucun club mais elle est très sportive ; elle circule en rollers, court tout le temps et adore faire des acrobaties.

SON ÉCOLE

«Mon école est vieille. Il y a des nids d'hirondelles sous les toits et un pommier dans le fond de la cour mais on n'a pas le droit de manger les pommes. À la récré, on joue aux échasses, au foot, on fait des châteaux dans le sable.» Parmi les nombreuses sorties scolaires, Fanny a préféré la visite du musée de l'Homme à Paris. «J'ai vu des dinosaures reconstitués, des œufs d'autruche… C'était vraiment génial.»

Une «paire» d'expressions ardennaises :
Il y a «fort» enfants à l'école : il y en a beaucoup.
Une paire de : quelques (exemple : une paire de jours).

Fanny est la spécialiste des acrobaties dans le foin !

La galette au sucre est typiquement ardennaise. Fanny l'aime, comme tout ce qui est sucré, les glaces, les cookies et les bonbons.

SON PLAT PRÉFÉRÉ

Ce que l'on mange le plus souvent chez Fanny, ce sont les pâtes. Mais ce qu'elle préfère, c'est la raclette et la soupe au potiron. Elle apprécie aussi les barbecues qui réunissent plein d'amis.

Daisy, 9 ans, est la cousine de sa voisine Olivia.

Amandine, 8 ans, est en CE1 dans la même école que Fanny.

UNE BONNE JOUEUSE

Si elle adore les parties de bille avec ses amies, Fanny aime aussi jouer seule aux cartes !

«J'aime bien lire des histoires le soir dans mon lit, surtout Le Livre de la jungle».

Les rollers de Fanny

«Le dimanche, je vais au match de foot avec mon papa. J'ai deux tontons qui jouent dans l'équipe de Gespunsart. J'adore y aller, on chante. Même quand on perd, c'est toujours la fête !»

La grande passion de Fanny, c'est l'Égypte ancienne. Elle possède de nombreux livres, des cassettes vidéo et des jeux sur le sujet.

Les billes de Fanny

LES AMIES DE FANNY

Ses deux meilleures amies sont Amandine et Daisy. Il y a aussi Anne-Laure, Sabine et Lucie, qui a 10 ans. Fanny tient également beaucoup à une vieille dame de 99 ans, Mme Poncelet. «Elle est fort croyante, je vais la voir parce qu'elle ne peut plus se déplacer. On parle de Jésus.»

Nathan

Nathan habite Lavangeot, un petit village du Jura situé entre Dole et Besançon. «Je suis né le 23 mars 1988 à Dole. J'ai les yeux verts, les cheveux châtain foncé et légèrement frisés. Normalement je vais à l'école en vélo. J'ai également une petite cicatrice au menton. À l'hôpital, ils m'ont demandé si j'étais tombé dans les pommes ; j'ai répondu que j'étais tombé dans les cailloux. Plus tard, je sais ce que je veux faire : m'occuper de la ferme, comme mon papa.»

SON VILLAGE

Lavangeot est un petit village jurassien de 195 habitants. Au centre se trouve une église entourée de quelques maisons anciennes.

SA FAMILLE

Le père de Nathan est agriculteur. Sa maman travaille à Dole dans une entreprise qui fabrique des volets en plastique. Avec sa petite sœur, Alizée, ils jouent à «gagou» : sur le lit de leurs parents : l'un se roule sur le lit tandis que l'autre saute par-dessus. Ils appellent cela aussi le rouleau Packer, du nom d'un instrument de ferme qui se trouve derrière la herse.

Son père, Michel, a 42 ans.

Sa mère, Françoise, a 32 ans.

«Mon père possède plusieurs tracteurs : un gros, un Fendt vert et noir avec la climatisation et un poste radio. Mais aussi un 956 XL IH et un 856 XL CASEIH, un Renault 681 S, un Deutz 8006 qui sert à l'ensilage et à arroser.»

Alizée, sa sœur

Nathan

«J'ai une sœur de 7 ans qui s'appelle Alizée. Elle passe en CE1 et va à l'école à Romange. J'ai aussi un demi-frère âgé de 17 ans, Jérémy. Il travaille à la ferme pendant les vacances. Ensemble, parfois, on joue dans les bottes de foin.»

SES AMIS

«J'ai un copain qu'on appelle le "Daguet". Il a 17 ans.» Daguet, c'est le nom d'un jeune cerf dont les cornes ressemblent à des dagues, et ce surnom lui a été donné parce son père est un grand chasseur. «J'ai peu de copains de mon âge, sauf Anthony : il habite le village à côté.»

Sa mère

Huguette, sa grand-mère maternelle

«J'appelle mon papa "père" et lui m'appelle "fils".»

Nathan n'habite pas à la ferme qu'exploite son père, c'est son oncle qui y loge.

LA FERME

«On cultive des céréales : du tournesol, du blé, de l'orge de printemps, de l'orge d'hiver, du maïs et du colza.» L'arrière-grand-père de Nathan était déjà agriculteur à Romange. Le père et l'oncle de Nathan (Jean) exploitent 230 ha de céréales et élèvent une cinquantaine de vaches laitières.

«Je suis allé à Paris une fois pour le Salon de l'agriculture. On a pris le train puis le taxi, direction le Parc des expositions.»

SUR LA TONDEUSE

Nathan possède un petit jardin. Il cultive des graines que lui donne son père. Le jardin est placé sous une gouttière, «comme ça je n'ai pas besoin d'arroser.»

«Du côté de mon papa, j'ai deux grands-parents : Clovis et Jacqueline. Du côté de ma maman : mamie Huguette. Ils habitent tous à Lavangeot.»

Pour la photo, Nathan est monté sur la tondeuse à gazon de son oncle.

Son grand-père paternel

Dans le champ de tournesols de son père

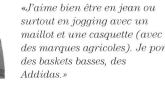

«J'aime bien être en jean ou surtout en jogging avec un maillot et une casquette (avec des marques agricoles). Je porte des baskets basses, des Addidas.»

Nathan

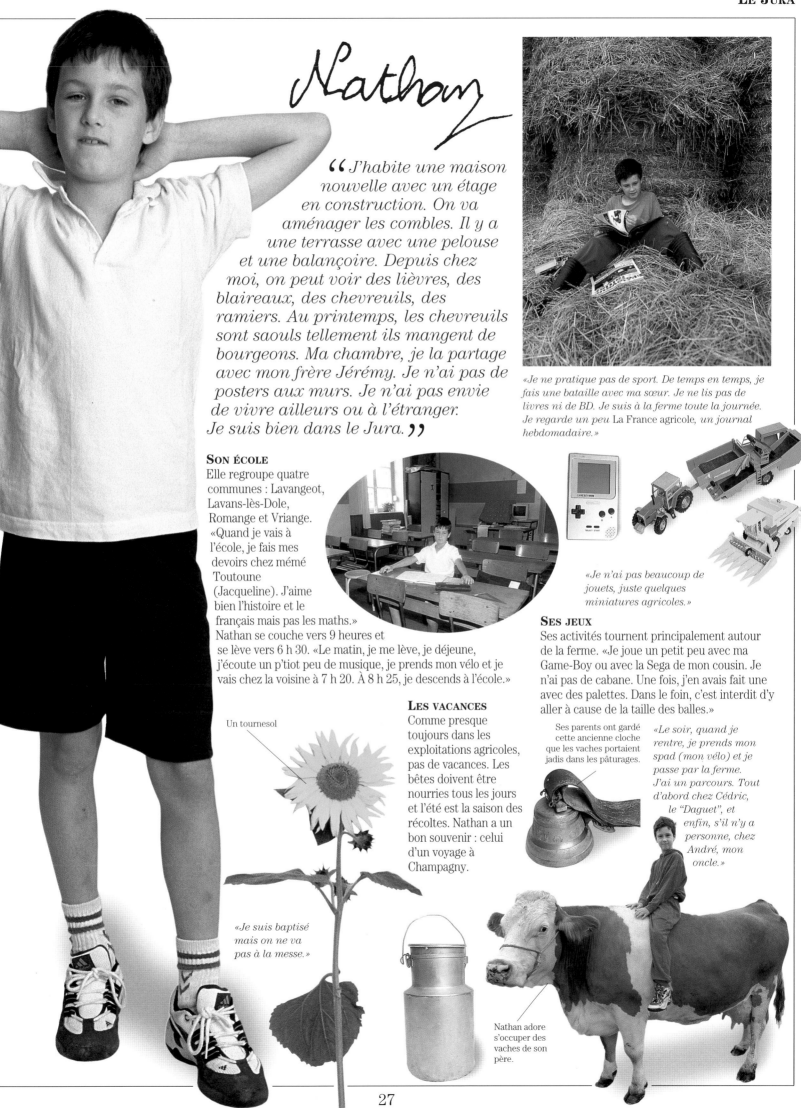

« *J'habite une maison nouvelle avec un étage en construction. On va aménager les combles. Il y a une terrasse avec une pelouse et une balançoire. Depuis chez moi, on peut voir des lièvres, des blaireaux, des chevreuils, des ramiers. Au printemps, les chevreuils sont saouls tellement ils mangent de bourgeons. Ma chambre, je la partage avec mon frère Jérémy. Je n'ai pas de posters aux murs. Je n'ai pas envie de vivre ailleurs ou à l'étranger. Je suis bien dans le Jura.* »

«Je ne pratique pas de sport. De temps en temps, je fais une bataille avec ma sœur. Je ne lis pas de livres ni de BD. Je suis à la ferme toute la journée. Je regarde un peu La France agricole, *un journal hebdomadaire.»*

SON ÉCOLE

Elle regroupe quatre communes : Lavangeot, Lavans-lès-Dole, Romange et Vriange. «Quand je vais à l'école, je fais mes devoirs chez mémé Toutoune (Jacqueline). J'aime bien l'histoire et le français mais pas les maths.» Nathan se couche vers 9 heures et se lève vers 6 h 30. «Le matin, je me lève, je déjeune, j'écoute un p'tiot peu de musique, je prends mon vélo et je vais chez la voisine à 7 h 20. À 8 h 25, je descends à l'école.»

«Je n'ai pas beaucoup de jouets, juste quelques miniatures agricoles.»

SES JEUX

Ses activités tournent principalement autour de la ferme. «Je joue un petit peu avec ma Game-Boy ou avec la Sega de mon cousin. Je n'ai pas de cabane. Une fois, j'en avais fait une avec des palettes. Dans le foin, c'est interdit d'y aller à cause de la taille des balles.»

LES VACANCES

Comme presque toujours dans les exploitations agricoles, pas de vacances. Les bêtes doivent être nourries tous les jours et l'été est la saison des récoltes. Nathan a un bon souvenir : celui d'un voyage à Champagny.

Un tournesol

Ses parents ont gardé cette ancienne cloche que les vaches portaient jadis dans les pâturages.

«Le soir, quand je rentre, je prends mon spad (mon vélo) et je passe par la ferme. J'ai un parcours. Tout d'abord chez Cédric, le "Daguet", et enfin, s'il n'y a personne, chez André, mon oncle.»

«Je suis baptisé mais on ne va pas à la messe.»

Nathan adore s'occuper des vaches de son père.

Sébastien

Sébastien a 12 ans. Il vit à Pralognan-la-Vanoise, dans les Alpes. «Autour de moi, il y a beaucoup de montagnes, de forêts et de rochers. Le paysage que je préfère, d'ailleurs, c'est la montagne. Plus tard, quand je serai grand, je voudrais être moniteur de ski. Mais aujourd'hui ce qui importe le plus pour moi, c'est de faire du ski et d'être heureux.»

SON VILLAGE

Pralognan-la-Vanoise (680 habitants) est un charmant village savoyard au cœur du massif et du parc de la Vanoise, dans un cirque glaciaire grandiose situé à 1410 m d'altitude. Sa patinoire a accueilli les épreuves de curling durant les jeux olympiques d'Albertville en 1992 et plusieurs grands sportifs y habitent, comme Surya Bonaly et Sébastien Amiez.

«Cet été, je m'entraîne le matin au ski de piste, sur le glacier de la Plagne.»

SA MAISON

C'est un chalet, comme il y en a beaucoup à Pralognan-la-Vanoise. «Mon chalet est en bois, en pierre et en crépis avec un toit en tôle parce que la tôle résiste mieux au froid et au vent. C'est la maison idéale. Je n'aimerais pas habiter ailleurs et surtout pas dans un appartement en ville !»

Son frère, Fabien, a 14 ans.

Sa mère, Danièle, est hôtesse d'accueil à l'Office du tourisme de Pralognan-la-Vanoise.

Sébastien

Son père est secouriste en montagne à la CRS Alpes d'Albertville.

Cette tête de chamois naturalisée décore la chambre de Sébastien.

Sébastien a aussi suspendu une peau de renard aux murs de sa chambre.

SA FAMILLE

Sébastien vit avec ses parents et son frère Fabien. «C'est agréable d'avoir un frère. Je n'aimerais pas avoir une petite sœur !» Il a cinq cousins, deux à Annecy et trois à Marseille. «Je vois les cousins de Marseille pendant les vacances scolaires, ceux d'Annecy quelquefois le week-end.»

«En Savoie, les anciens comme mon grand-père parlent quelquefois en patois. Cochon se dit caillon. J'ai un peu l'accent savoyard, mais moins que mon cousin avec son accent de Marseille.»

Ses grands-parents maternels

«Avec Fabien, on est souvent ensemble quand on pratique les sports. Il joue avec moi aux cartes, au tennis et au ping-pong.»

Ses grands-parents maternels habitent à côté de chez Sébastien : «Je passe des vacances avec eux toute l'année !» Ses autres grands-parents vivent à Marseille. Sébastien les voit pendant les vacances, à Marseille ou dans leur maison des gorges du Verdon.

«Mes deux meilleurs amis sont Adrien, mon copain d'école, et Julien, qui fait partie de mon club de ski à Pralognan. On part en stage de ski ensemble, on fait de la musculation et on suit des entraînements physiques.»

cignetti

" *Mon collège se trouve à Bozel, un village voisin distant de 13 km. Je prends le car tous les matins ; les grands se mettent au fond et les petits comme moi devant. Pendant les récréations, on joue au Magic (un jeu de carte de sorciers) et au ping-pong.* "

Sébastien aime bien lire, notamment les romans policiers et les livres de western. Il regarde aussi volontiers à la télévision les films comiques et les documentaires sur les animaux et la montagne.

«J'ai décoré ma chambre, que j'occupe seul, avec un fanion de hockey sur glace, des photos de montagne, une tête de chamois naturalisée, des cornes de chevreuil, une collection très utile de couteaux de chasse et de montagne.»

Les cornes de chamois et de cabri dans sa chambre

L'ESCALADE
Sébastien adore le sport. Son grand plaisir est de «grimper en montagne avec son père, très sportif également de par sa profession de secouriste en montagne», il aimerait bien l'égaler ou, un jour, le surpasser un jour !

«Mes meilleures vacances : un séjour à Eurodisney. Mais je n'ai pas envie d'aller à Paris, je préfère monter au sommet de la montagne qu'au sommet de la tour Eiffel !»

Les crosets sont des petites pâtes.

La collection de couteaux de Sébastien

Les pormoniers sont des saucisses de porc assaisonnées aux herbes (épinards, choux…).

«J'aime bien les fêtes et les anniversaires parce qu'il y a des cadeaux. Je suis né le 23 décembre et avec Noël cela en fait beaucoup en même temps !»

«J'aime bien la nourriture assez variée. Mon plat préféré est le steak-frites. Maman est une bonne cuisinière et réussit tout. Dans ma région, on mange de la fondue savoyarde, des diots au vin blanc, des crosets, de la raclette, des brazerades.»

Sébastien est dans le même club de ski que le champion Sébastien Amiez.

Tout ce que Sébastien emporte en randonnée.

Sébastien parcourt sans cesse la montagne : à ski l'hiver ou à pied l'été.

Clémence

«Je m'appelle Clémence et, quelquefois, mon papa m'appelle Clémençou. J'ai 10 ans et j'habite Saint-Égrève, une commune de 16 000 habitants dans la proche banlieue de Grenoble. Quand je serai grande, je voudrais être médecin. J'aimerais habiter une grande maison avec un jardin pour loger mes nombreux enfants et plusieurs animaux. Mais pour l'instant, ce qui compte le plus pour moi, ce sont mes parents.»

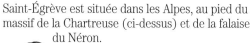

Saint-Égrève est située dans les Alpes, au pied du massif de la Chartreuse (ci-dessus) et de la falaise du Néron.

«J'ai beaucoup de cousins, je ne sais pas exactement combien. Certains ont le même âge que moi. On se voit à l'occasion des baptêmes et des communions.»

Marie-Laure, sa mère, est professeur de vie sociale et professionnelle à l'Institut technique d'enseignement catholique de La Tronche, dans la banlieue de Grenoble.

SAINT-ÉGREVE

Romain a 13 ans.

Clémence

Sa sœur Valérie a 17 ans.

SUR LES ROUES

Clémence sait très bien rouler en rollers puisqu'elle prend des cours de patinage sur glace, tous les mercredis matin à la patinoire de Grenoble : «J'apprends les pirouettes et les sauts. J'ai passé mon 4ᵉ flocon. Encore deux avant d'avoir le patin d'argent !»

Philippe, son père, est ingénieur qualité chez Thomson, à Moirans, une zone industrielle proche.

Son petit frère, Pierre, a 7 ans.

SA FAMILLE

Clémence vit avec ses parents et ses cinq frères et sœurs. Deux sont absents de la photo : Emmanuelle, 19 ans, et Benoît, 15 ans.

Blandine, 10 ans, sa cousine, est aussi sa meilleure amie. Elle habite la même ville que Clémence, mais dans un autre quartier, à Barnave.

«Je ne pars jamais en colonie de vacances. Je préfère aller dans la maison de campagne de mes grands-parents Gabriel et Christiane à Saint-Avit dans la Drôme.»

SES AMIES

Avec Blandine, Clémence a cinq autres amies : deux Mathilde, Charlotte, Aurélie et Amanda. «Nous adorons les jeux de plein air, mais aussi jouer à la poupée, nous déguiser et nous maquiller. Souvent, nous oublions de ranger et maman nous gronde.»

lémence a mis sa tenue de
ouvette pour la photo. Elle
ose avec sa cousine Blandine.

Clémences

Tous les 1ᵉʳ avril,
l'anniversaire de l'immeuble
réunit les sept familles qui y
habitent. «Tout le monde se
retrouve dans la salle
commune au rez-de-chaussée.
On s'amuse bien.»

SA MAISON

Clémence habite dans un petit immeuble entouré
d'un grand jardin. Six autres familles partagent la
maison, située dans le quartier de Rochepleine,
près de Grenoble. Le bâtiment est récent,
moderne et fonctionnel, avec une pièce commune
au rez-de-chaussée où les enfants peuvent jouer.

*«Ma maison idéale, c'est
la mienne, et je préfère
Grenoble à toute autre
région.»*

SES GOÛTS

Dans le domaine du
sucré, ses préférences
vont aux bonbons, à
l'île flottante et aux
meringues. Son
fromage préféré :
la tomme de Saint-
Marcellin ou de Savoie.
Mais Clémence aime
bien aussi la spécialité
régionale, le gratin
dauphinois, «surtout
quand mamie met
beaucoup de crème».

> « *Chaque année, je pars une semaine début juillet
> avec les louvettes en camp dans l'Ain. On dort sous
> la tente, on fabrique des tables, des chaises, on
> organise des veillées et on chante autour d'un
> feu de camp.* »

*«J'adore fabriquer
des colliers, des
boucles d'oreilles
et des bracelets en
perles, faire de la
peinture et de la
broderie et toutes les
activités manuelles.»*

Sa boîte de perles

Clémence va
chez les
louvettes le
samedi après-
midi ou le
dimanche. Les
louvettes sont
des filles scouts
d'Europe qui ont
entre 7 et 13
ans. C'est un
mouvement
catholique lié à
la paroisse.

*«Je suis
catholique, je
crois en Dieu.
Avec ma famille, je
vais à la messe tous
les dimanches.»*

Le plat que Clémence
préfère, c'est les
lasagnes.

Son plus grand
ami est un lapin
en peluche qui
partage tous ses
secrets et qui dort
toutes les nuits
dans son lit. Il
s'appelle Lapou.

*«Les romans
d'aventures me
passionnent :
je lis le soir
avant de me
coucher,
quelquefois
aussi le
week-end et
pendant les
temps libres
à l'école.»*

*«Pendant les vacances de
février, je fais du ski à
Courchevel. La Savoie est
une région que j'aime bien.»*

Son violoncelle

LE VIOLONCELLE

Le mercredi est son jour
préféré : l'après-midi, elle
prend des cours de violoncelle
à l'école de musique de
Saint-Égrève et le matin
un cours de patinage.
Tous les lundis, elle suit une
heure de solfège en cours
collectifs à l'école de musique.

Julien

Julien a 12 ans et ne sait pas du tout ce qu'il veut faire plus tard. «Je change tous les jours d'idée.» S'il n'a pas encore choisi de métier, il a en revanche des tas de projets. «J'ai envie de visiter la Grèce et l'Égypte depuis que j'ai lu *Astérix et Cléopâtre*. Mais mon rêve c'est d'aller sur la Lune. Je voudrais voyager dans l'espace, découvrir l'intérieur d'une fusée. Ensuite, j'aimerais voir d'autres planètes.»

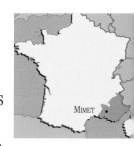
MIMET

SON VILLAGE
Mimet est un petit village provençal au nord de Marseille, proche de la zone du grand feu de juillet 1997. «Ici, c'est bien, parce que l'été il fait chaud et l'hiver il neige.» Dans ce pays froid l'hiver et menacé par le feu en été, le village possède une caserne de pompiers et un chasse-neige.

«Pour moi, c'est la lavande qui symbolise la Provence. La garrigue, c'est un coin sec, un grand espace avec un peu d'arbres où il fait très chaud et où on a du mal à marcher.»

Sa mère Christine (34 ans) est assistante maternelle.

Son père Michel (36 ans) est directeur d'une entreprise de climatisation.

Sa sœur, Nelly, a 9 ans et demi.

Julien

SA MAISON
Julien habite une maison neuve construite il y a dix ans par ses parents. Elle est perchée en haut d'une pente très forte qu'il peut dévaler en luge quand elle est couverte de neige. Avant, il vivait dans un appartement du XIIe arrondissement de Marseille.

UN VRAI SPORTIF
Julien a trois vélos ; il en fait beaucoup avec ses copains dans le village et dans la campagne. Il joue aussi au tennis près de six heures par semaine, dans un club et avec son père. L'hiver il fait du ski et quand le temps s'y prête, d'avril à septembre, il nage dans sa piscine.

PROVENÇALE
Sa sœur possède un costume provençal qu'elle porte dans certaines fêtes ; pas lui : «Le costume c'est pour le folklore.»

Son tuba

Son masque

Sa fouine (une sorte de fronde des mers)

Grégory habite la maison d'à côté.

Ses palmes

AU FRAIS
Comme tous les Méditerranéens, Julien et sa famille fuient le soleil quand il est au plus haut. L'été, ils partent chercher le frais dans les Alpes. Sinon, ils profitent de leur piscine ou vont à la plage à Martigues en toute fin d'après-midi. Julien en profite alors pour plonger, ce qu'il adore. Il espère bientôt apprendre à le faire avec des bouteilles.

SA FAMILLE
Julien est provençal, comme toute sa famille. Ses grands-parents paternels vivent à Allauch (prononcé Allo), à quelques kilomètres, ainsi que son autre grand-mère et son arrière-grand-mère qui a 87 ans, le frère de son père et la sœur de sa mère ! Sa famille paternelle est d'origine corse, mais Julien n'est jamais allé dans l'île de Beauté.

«Grégory est mon meilleur copain ; avec une bande de neuf ou dix amis qui habitent presque tous près de chez moi, on se voit tout le temps. On fait du vélo, on joue à la console.»

JULIEN

« *Quand il y a le marché, certains Marseillais, pour vendre le poisson, crient tellement qu'on les entend de l'autre côté du Vieux-Port. On en a plein les oreilles. Même si c'est pour gagner leur vie, ça m'énerve quand ils crient.* »

Le pastrage est l'offrande d'un agneau à Dieu, lors de la messe de minuit.

LE PASTRAGE
À Allauch, les traditions provençales sont plus vivantes qu'à Mimet. Chaque année, une crèche géante y est inaugurée au son du fifre et du tambourin. Julien assiste également à la descente des bergers avec moutons et lanternes.

Avec ma fouine j'essaie d'attraper des sars (sortes de daurades grises) mais les loupe toujours alors prends des crabes. Mes copains et moi on se fait des peurs bleues quand les crabes veulent nous pincer. Ils n'y arrivent pas. Après, je les relâche dans la mer parce que ma mère ne sait pas quoi en faire.»

Les treize desserts de Noël sont : de la pomme, de la poire, du melon vert, du raisin frais, des sorbes (fruit du sorbier), du nougat blanc, du nougat noir, des figues sèches, des raisins secs, des amandes, des noix, des noisettes et la pompe à huile, une galette.

Dans l'aïoli (plat composé de légumes et de morue pochés servis avec un coulis d'ail et d'huile d'olive) que prépare sa mère, Julien ne mange que les légumes.

NOËL EN PROVENCE
C'est la plus grande fête provençale et de nombreuses traditions y sont attachées. La famille de Julien respecte la coutume des treize desserts qu'on sert ici le soir du réveillon.

NOURRITURE
«Je préfère le steak-frites. L'ail ça pique trop.» Si ses parents apprécient la cuisine provençale, ce n'est pas son cas : il n'aime ni l'ail, ni le poivron, ni l'aubergine !…

Le seul plat régional que mange Julien avec plaisir, c'est le nougat noir de Noël que fait sa mère.

Vanille, qui a 3 ans, c'est ma chatte ; la tortue aussi est à moi. On l'appelle Carl Lewis parce qu'elle trotte très vite. Elle met cinq minutes pour traverser le jardin. Quant aux grenouilles, j'en ai pêché une cinquantaine au printemps. J'étais allé chercher des têtards, je les ai ramassés, mis dans une caisse pendant un mois le temps qu'ils se transforment en grenouilles. C'est la deuxième année que je fais ça.»

Julien va souvent voir travailler son oncle santonnier.

LE PROVENÇAL
Julien connaît quelques mots de provençal. «Quand une grosse pluie se prépare, je dis qu'il va tomber une chavane. Quand le soleil tape, mon arrière-grand-mère dit *lou soléo mi fa canta* (le soleil me fait chanter).»

LES SANTONS
Julien est particulièrement sensibilisé à la culture des santons, ces figurines qu'on met dans les crèches : son parrain Gilbert est santonnier et fabrique des grands santons qu'il installe dans des décors qu'il construit. Julien a lui-même fait des santons qu'il a offerts comme cadeau de fin d'année à ses professeurs.

LES ANIMAUX
La famille de Julien aime beaucoup les animaux. Dans le jardin se prélassent un chat, deux lapins nains, une tortue. Il y a même des grenouilles ! Ce jardin, qui possède deux oliviers, compte beaucoup pour tous les quatre : chacun jardine un peu, Julien tond la pelouse et plante des arbres.

Charline

Charline aura 10 ans le 18 décembre prochain. «Plus tard je voudrais être violoniste mais pas classique. J'aimerais jouer avec un chanteur, faire du jazz, du rock, j'adore le mélange d'instruments, violon, guitare, piano. Le classique, c'est trop long et trop lent.» En attendant, Charline caresse un rêve impossible : «J'aimerais vivre sur un nuage dans le ciel avec ma cousine Charlotte. On serait seules toutes les deux et on aurait tout sur place dans les airs.»

Charline habite La Garde, une petite ville satellite de Toulon, en bordure de la Méditerranée.

Sophie, 22 ans, est sa sœur. Étudiante en psychologie, elle ne séjourne dans la maison que pendant les vacances.

Sa mère, Martine, 48 ans, est comptable.

Son père, Jean, 67 ans, est à la retraite. Il possédait auparavant une entreprise de carrelage.

Charline

L'ALGÉRIE

Quand on parle de l'Algérie aux informations, Charline appelle son père, même si le pays d'aujourd'hui a peu à voir avec celui qu'il évoque si souvent. Lui ne retournera jamais en Algérie. Il cultive la mémoire du passé à travers ses récits, l'arabe qu'il parle couramment, ou encore le petit-lait qui accompagne ses repas (cette coutume arabe consiste à boire un dérivé du lait obtenu après qu'il a été transformé en beurre).

Toutes les pièces de la maison ouvrent sur le jardin.

Charline n'aime pas du tout la plage ; l'été, elle préfère rester dans sa maison et se baigne presque tous les jours dans la piscine.

SA MAISON

Charline et ses parents habitent dans une maison basse, construite à la fin des années 1960. Juste à côté, il y en a deux autres exactement pareilles : elles sont occupées par les familles des anciens associés de son père, pieds-noirs eux aussi. Les habitants de ces trois logis ont un mode de vie communautaire, ils partagent la même piscine, les mêmes souvenirs.

SA FAMILLE

Ses parents sont pied-noirs, c'est-à-dire français ayant vécu en Algérie jusqu'à l'indépendance en 1962. Ils sont nés tous les deux à Guelma (département de Bône) et sont rentrés en métropole au moment de la décolonisation.

GUELMA 89

La famille ne fréquente pas les grands rassemblements pied-noirs mais reçoit une revue dans laquelle écrit l'oncle paternel de Charline, «Guelma 89», qui évoque ce coin d'Algérie.

Guelma

SES COUSINES

Charline est inséparable de Charlotte, l'une de ses cousines. Elles ont le même nom de famille, le même âge, vont dans la même classe et jouent tout le temps ensemble. «Elle me surnomme Chachi et moi Chachou. Elle vient très souvent à la maison. Quand elle est en vacances, elle m'écrit et je lui réponds.»

Charlotte

Charline

Raphaëlle, la sœur de Charlotte

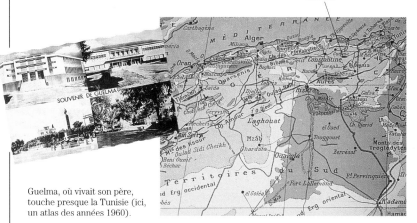

SOUVENIR DE GUELMA

Guelma, où vivait son père, touche presque la Tunisie (ici, un atlas des années 1960).

Charline

«Je fais du violon depuis quatre ans. J'ai un cours par semaine et normalement je dois faire une demi-heure d'exercices par jour. Je n'ai pas toujours envie mais c'est moi qui ai choisi l'instrument en regardant un orchestre de violons à la télévision.»

UNE MAISON DE VERDURE

Charline et Charlotte inventent leurs propres jeux avec des règles compliquées et se sont construit une maison dans les arbres. «On l'a fabriquée toutes les deux, on l'a aménagée, on a mis une table, des chaises, un tapis et on vit dedans.»

" *Ma mère est partie d'Algérie à 13 ans, mon père à 33 ans. Là-bas, il avait une ferme à Guelma, une ville proche de la frontière tunisienne. Il m'en parle très souvent, il me raconte pourquoi il est parti, ce qu'il avait en Algérie. Il me montre des photos, des cartes.* "

Sa mère habitait une ville du littoral, pas très loin de Guelma. Elle aimerait un jour emmener ses deux filles sur les lieux de son enfance.

LA GASTRONOMIE

«C'est mon père qui cuisine. Le plat qu'il fait le plus souvent et que j'aime bien, c'est la tourte maltaise. C'est avec de la brousse (fromage de chèvre frais) et des petits pois.» Son autre spécialité, c'est la fougasse aux anchois. Il ne faut pas se fier au nom de cette recette typiquement pied-noir : c'est une pizza, mais à pâte levée.

Cette spécialité rappelle les origines maltaises de leur famille. Son père a ajouté un raffinement qui consiste à tracer sur la pâte une croix de Malte, hommage à l'ordre religieux qui domina l'île du XVIe au XVIIIe siècle.

Jasmine

L'ÉCOLE

À part les maths, tout l'intéresse. Charline aime beaucoup apprendre en règle générale et invente même des jeux pour faire des exercices en compagnie d'élèves fictifs. En 6e, elle ira dans une institution catholique privée : Charline vient de faire sa première communion, sa famille est très pratiquante.

«Mon jardin, c'est l'endroit que je préfère, j'aime bien observer la nature. Des fois je me mets dans les arbres et je regarde avec mes jumelles. J'y ai aussi ma tente. Depuis deux ans, chaque été, je dors souvent dedans. La nuit je n'ai pas peur du tout.»

LES ANIMAUX

«J'ai une petite chienne de 2 ans et demi, Jasmine. Avant, j'avais un cochon d'Inde mais il a disparu, alors on m'a offert Jasmine pour le remplacer.» Peut-être parce qu'elle désirerait un autre chien, Charline s'occupe également de son «tamagotchi» !

«Le tamagotchi, c'est un petit engin dans lequel il y a un animal virtuel. Quand il m'appelle je m'en occupe, je lui donne à manger. Ce n'est pas un jeu mais ce n'est pas vraiment un animal non plus puisqu'il fait tout le temps la même chose. Ma mère trouve ça très drôle, mon père pas du tout.»

Le tamagotchi de Charline

Son livre sur les marmottes

LA MUSIQUE

Son idole ? Pascal Obispo avec qui elle aimerait jouer ; les boys bands ne l'inspirent pas. Elle joue régulièrement du violon devant un public plus ou moins important.

«Pour lire, j'aime mieux les choses vraies que les livres qui racontent des histoires. J'aime bien étudier des trucs. Par exemple, je viens de lire la vie des marmottes.»

La Marmotte

Nawelle

Nawelle, 11 ans et demi, a une sœur de 9 ans et un frère, Ashraf, qui a 13 ans. Elle vit avec ses parents dans une cité à Toulon : ils sont venus tous les deux de Tunisie il y a quatorze ans. «Plus tard, je travaillerai. Je voudrais m'occuper des enfants, quand ils naissent. Sinon, être coiffeuse ou top model. Je pense que je continuerai à vivre dans les deux pays. Mes parents, je ne crois pas qu'ils retourneront en Tunisie, c'est trop difficile là-bas.»

LA CITÉ DES JONQUETS

Presque toutes les familles, ici, sont originaires du Maghreb. Les paraboles, installées sur les toits ou les balcons, permettent de recevoir la télévision tunisienne ou algérienne. La mère de Nawelle regarde très souvent les programme de Tunis, car elle a la nostalgie de son pays.

«Ici, dans ma cité, je voudrais que ça change : il faudrait mettre des jeux, repeindre les bâtiments, refaire les parkings en bas. Souvent, l'ascenseur ne marche pas et pour les vieilles personnes qui habitent dans les étages élevés, c'est difficile.»

«Ma villa idéale aurait trois étages : un pour ma famille, un pour ma meilleure amie et la sienne et un dernier pour mon autre grande copine et sa famille. On habiterait tous ensemble dans cette grande maison avec une piscine, un grand jardin, un chat, un chien, des lapins et encore d'autres animaux…»

Nawelle est très fière de ses longs cheveux, qui lui arrivent à la taille. C'est elle seule qui s'en occupe.

JEUX DE BALLE SUR LES BALCONS

Dans la cité, les enfants jouent beaucoup ensemble, mais les filles et les garçons ne se mélangent pas. Pour Nawelle, il n'y a pas de gros problèmes dans la cité mais «il y a des enfants bien élevés par leurs parents et puis d'autres qui ne le sont pas et qui font des bêtises».

CHEZ NAWELLE

Nawelle est née en France, comme son frère et sa sœur. Elle a toujours habité dans cet appartement. Elle pose ici avec ses meilleures amies.

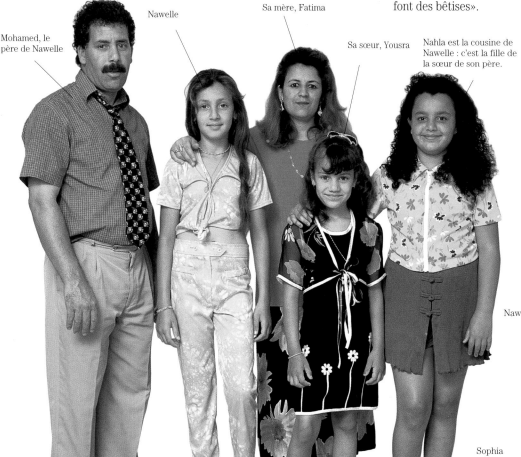

Mohamed, le père de Nawelle

Nawelle

Sa mère, Fatima

Sa sœur, Yousra

Nahla est la cousine de Nawelle : c'est la fille de la sœur de son père.

Souhaïla

Nahla habite à côté et dort souvent chez Nawelle.

Nawelle

Yousra

Sophia

SA FAMILLE

Son père, Mohamed, est maçon, il a 38 ans, sa mère, Fatima, a 33 ans et ne travaille pas. Ils se sont mariés à Bizerte, une ville côtière au nord de la Tunisie où vivent toujours ses grands-parents maternels (ses grands-parents paternels sont morts). Son père a fait construire une maison là-bas près de la plage et chaque été toute la famille y passe un mois de vacances.

Nawelle pose ici avec sa meilleure amie, Souhaïla.

Souhaïla (surnommée Sousou) et Nawelle ne se quittent jamais. Elles ont quatre mois de différence et sont voisines, non seulement dans la cité, mais aussi en Tunisie ! Elles se voient donc toute l'année !

C'est sa mère qui a écrit son prénom en arabe, car Nawelle ne se souvenait plus trop comment l'écrire.

نوال كرموص

Pour qu'elle sache écrire l'arabe, sa mère fait suivre à Nawelle des cours deux fois par semaine après l'étude. Les leçons sont soit en tunisien, soit en marocain. Nawelle y va pour faire plaisir à sa mère.

Le cahier de cours d'arabe de Nawelle

« En Tunisie, le mariage dure cinq jours : un pour le henné, un pour les cadeaux, un pour la mariée, habillée en costume traditionnel, un où elle reste toute seule, et enfin la cérémonie avec la robe de mariée. Je voudrais me marier pour ça, juste pour la fête, pas pour le mariage lui-même. »

LA RELIGION

Sa famille est musulmane. Ce que Nawelle préfère, ce sont les deux plus grandes fêtes : l'Aïd-el-Fitr, ou fête du gâteau, qui célèbre la fin du Ramadan, et l'Aïd-el-Kebir, ou fête du mouton, parce qu'on en sacrifie un en mémoire d'Abraham. Nawelle aide sa mère à tout préparer.

DEUX CULTURES

Nawelle est bilingue. À la maison, tout le monde parle tunisien, mais si sa mère lui parle toujours en arabe, Nawelle répond souvent en français. Avec ses copines, elle n'utilise que le français. En Tunisie, c'est l'inverse et quand elle rentre de vacances, elle a parfois oublié un peu la langue française !

L'ÉCOLE

Jusqu'à maintenant, Nawelle allait à l'école Jacques-Yves-Cousteau à côté de chez elle. Elle aime bien le dessin, la lecture et l'orthographe, mais pas trop les maths.

La salade meshouïa est un mélange tunisien de poivrons rouges grillés et de salade cuite assaisonnée d'une sauce à l'ail, au cumin, à la coriandre et au persil.

Depuis cinq mois, la famille a une petite chatte, Minouchette. C'est Nawelle qui a supplié sa mère de l'adopter. Elle a beaucoup pleuré pour que celle-ci accepte l'animal qui dort maintenant dans sa chambre. Les deux sœurs s'en occupent ensemble.

À TABLE

Selon son inspiration, la mère de Nawelle prépare soit des plats français, soit des plats tunisiens. Les trois recettes préférées de Nawelle sont : la salade meshouïa, le couscous et les spaghettis bolognaises. Nawelle aide beaucoup sa mère à la maison, notamment en faisant les commissions.

SES GOÛTS

Nawelle nourrit une grande passion pour le maquillage et surtout le vernis à ongles qu'elle appelle le « zazongles ». Elle attend d'être grande pour porter à l'extérieur ombre à paupières, mascara et rouge à lèvres, mais utilise déjà du vernis sur les mains et les pieds et change souvent de couleur.

« Je vais chaque été en Tunisie, sinon je reste à Toulon. »

« J'ai d'abord acheté du vert, ensuite du bleu, maintenant c'est le blanc qui est à la mode, mais j'ai aussi du vernis orange… »

LA TUNISIE

Nawelle laisse en Tunisie tout ce qui concerne la culture tunisienne, comme ses robes traditionnelles. Elle y a appris certaines coutumes, comme dessiner au henné des symboles sur les mains et le visage. « On mélange de la poudre avec de l'eau et du piment de couleur, ensuite on met cette matière dans une seringue et on dessine des ponts par exemple. »

Anthony

Anthony a 12 ans. Il habite dans l'arrière-pays niçois mais si près de Nice qu'on peut voir de chez lui atterrir les avions à l'aéroport de la ville ! «Dans la vie, j'ai trois passions : le piano, la nature et les animaux. Je voudrais partir loin, en Afrique et en Amérique, pour voir en vrai ce que montre la télévision, et découvrir les espèces qui sont ici dans les zoos. Plus tard, j'aimerais être pianiste de jazz ou archéologue. En tout cas, un métier qui me permette de voyager !»

UN PAYS D'OLIVIERS

Anthony habite la petite ville de La Trinité dans la vallée du Paillon, en plein pays niçois. Sa maison est entourée d'oliviers.

Les collines où habite Anthony.

SON OLIVIER BONSAÏ

Anthony aime beaucoup jardiner. Il fait même pousser un olivier de la taille d'un bonsaï qui donne des olives !

Sa grande sœur pose pour des photos de mode ou des pubs en même temps qu'elle poursuit ses études de médecine.

Son frère aîné était absent pour la photo.

Yvonne, sa grand-mère maternelle, préfère appeler Anthony «Antoine».

Michèle, sa mère

Richard, son père

Sa cousine Virginie vient souvent jouer avec Anthony.

Anthony

Charles et Eugénie, ses grands-parents paternels

UNE SOURCE MYSTÉRIEUSE

Lorsque son grand-père a acheté son terrain, il était le plus précieux du vallon parce qu'une source y coulait. Un jour, Anthony est remonté jusqu'à son jaillissement, sous terre.
Dans le tunnel, il a découvert une inscription latine et une date : 1745. Mais ni lui ni sa famille n'en savent davantage.

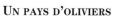

SA FAMILLE

Anthony vit avec ses parents, ses frères et sœurs et ses grands-parents paternels. Sa famille paternelle est d'origine niçoise. Sa grand-mère maternelle est là aussi très souvent. Elle-même est d'une ancienne famille de la vallée.

DANS L'ATELIER DE SON GRAND-PÈRE

Anthony aime beaucoup travailler dans l'atelier de menuiserie de son grand-père. Celui-ci lui apprend à manier les différents outils, il lui a même construit son propre établi.

L'été, Anthony reste à La Trinité et profite de la piscine que son père a construite.

Anthony a déjà réalisé plusieurs objets en bois : c'est lui qui a sculpté cet objet.

Les outils de menuisier de son grand-père

SA MAISON

Elle a été entièrement construite en pierres sèches du pays par son père et son grand-père qui l'habite depuis très longtemps.

La maison est en restanque, c'est-à-dire étagée en terrasse ; le rez-de-chaussée est habité par les grands-parents d'Anthony.

Anthony pratique le piano depuis l'âge de 4 ans et veut [de]venir «pianiste de jazz». [Il] est dans une classe à [h]oraire aménagé et [fa]it de la musique tous [l]es après-midi (solfège, [ch]ant, piano, orchestre).

[L]es meilleurs amis sont [au]ssi musiciens, notamment [F]lorian, qui est violoniste.

J'aime [p]articulièrement [B]eethoven parce que [je] trouve que c'est [m]usicalement bien fait. [S]a musique me parle, [il] écrivait bien.».

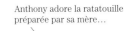

À chaque repas, Anthony avale des quantités énormes de légumes de «son» jardin !

Le plaisir d'Anthony : être réveillé par les oiseaux, le matin.

Anthony adore la ratatouille préparée par sa mère…

… ainsi que les «farcis», des légumes farcis avec leur chair et de l'ail.

« Ce que je préfère dans le carnaval, c'est la préparation des chars. Et aussi le défilé… Depuis cette année, je remplace mon frère : je surveille le char pendant le défilé. J'aide mon père qui est responsable : il doit faire tourner les moteurs qui font bouger les têtes, trouver les danseuses, faire signe au conducteur, etc. Je lui donne un coup de main, quoi ! »

LE CARNAVAL

Anthony est issu d'une famille de carnavaliers niçois : les plus anciens et les plus souvent primés. Il aide sa famille à la préparation des «grosses têtes» du carnaval, car chaque membre de la famille participe à l'élaboration du char et des personnages. Son grand-père prépare les maquettes pour les soumettre au jury.

Quelques expressions en nissart utilisées par Anthony : *Rougé lou serra beou temps espéra* (Rouge le soir, le beau temps est à l'attente), *Rougé lou matin, lou mari temps es in camin* (Rouge le matin, le mauvais temps est en chemin).

«Mon arrière-grand-père, déjà, était carnavalier.»

Ce que préfère Anthony, lorsqu'il aide à préparer le carnaval, c'est peindre les grosses têtes, dont il fait les décorations en suivant son imagination.

Anthony fait également du taekwondo quand la musique lui laisse un peu de temps libre !

Anthony aime beaucoup les animaux : il a deux chiens et des lapins et soigne souvent les écureuils et les oiseaux qui viennent dans son jardin.

En vacances, Anthony travaille le piano plutôt le matin, à la fraîche. Pendant l'année scolaire, il travaille le soir, après ses devoirs et pendant plus de deux heures.

LE JARDIN EN «PLANCHES» D'ANTHONY

Le jardin d'Anthony couvre toute la colline ! La source, canalisée, remplit une cuve de 600 m³ qui permet l'arrosage de l'ensemble de la propriété. Son jardin est en «planches», ou en restanque : c'est une colline aménagée en terrasse afin de faciliter la culture. Y poussent surtout des oliviers et des arbres fruitiers, mais également les légumes qui serviront à la ratatouille et aux farcis.

Aurelia

BASTIA

«J'ai 12 ans, je m'appelle Aurelia – il faut prononcer "Aourélia". Comme ma petite sœur Livia qui a 7 ans, je porte un prénom corse, ça me plaît. Pour moi, le plus important c'est la famille… mais aussi la Corse, la rencontre avec les autres. Je me sens corse avant d'être française. Tout simplement parce que c'est la réalité. J'aime ma vie, partagée entre la ville, à Bastia, et le village de Corscia, où je vais le week-end, au cœur des plus hautes montagnes de l'île.»

BASTIA

Dans la semaine, Aurelia habite à Bastia, chef-lieu de la Haute-Corse. Autour du port sont regroupés les vieux quartiers.

«La famille ? C'est bien sûr ma petite sœur, ma mère, mon père… mais aussi mes grands-parents, mes cousins, mes tantes, mes oncles… La famille, c'est si important pour moi ! Nous nous voyons constamment à Bastia, et, pendant les vacances et les week-ends, à Corscia.»

«Ma langue maternelle, c'est le corse. J'ai appris le français à l'école. La langue, c'est nos racines. On est différents des autres, ça ne veut pas dire qu'on soit contre.»

Sa mère s'occupe d'alphabétisation.

Son père est employé de banque.

Marguerite et Catherine, ses tantes

Charles-Jean, son père

Deux cousins germains, Jean-Joseph et Ange-François

Sylvestre, son oncle

Lidia, sa mère

Livia, sa petite sœur

Aurelia

Catherine, sa grand-mère

Aurelia

Livia, sa sœur, est sur les genoux de don Joseph, son grand-père.

LA FAMILLE

Presque tous les week-ends, et pendant les vacances, la famille se retrouve au complet chez les grands-parents paternels, à Corscia, dans le Niolu.

«Du côté de mon père, les Giamarchi, ils sont tous du Niolu, cette région de haute montagne au centre de la Corse. Celle des bergers de brebis. Du côté de ma mère, les Poli, c'est différent. Mon arrière-grand-mère est née à New York, sa famille était d'origine calabraise. Du coté de mon grand-père maternel, on vient de Toscane. C'est ça, la Corse !»

«Au total, j'ai six cousins germains. Les autres, je les vois au village de Corscia. On y joue en bande. J'y fais du VTT.»

LA SCALA SANTA REGINA

Le Niolu, région de montagne au centre de la Corse, aurait, selon la légende, été mis sens dessus dessous par le diable. Saint Martin implora la Vierge : obéissant à Marie, les rochers se rangèrent docilement pour former le long défilé qu'on appelle aujourd'hui la Scala Santa Regina.

«J'aime tous les paysages, particulièrement la montagne. D'ailleurs, si je devais faire visiter quelque chose en Corse à un correspondant étranger, je l'emmènerais voir les montagnes de mon village.»

À Corscia, village de montagne, les habitations sont souvent des maisons simples à étages , en pierre de granit ocre, ou crépies au tuf de la même couleur. Les toits sont en tuiles rondes.

CHEZ ELLE

À Bastia, Aurelia habite un grand appartement ancien du centre-ville. «J'aime les murs épais, les volets intérieurs aux fenêtres, les portes anciennes.»

«Les portes de ma chambre sont constamment ouvertes. Celle qui donne vers le séjour, comme celle qui donne dans la chambre de ma sœur. Avec Livia, j'écoute de la musique dans cette pièce, j'y reçois mes copines.»

«Je ne sais pas ce que serait ma maison idéale. Sûrement une maison au centre du village, pour y voir beaucoup de monde. J'aimerais aussi une maison en bois, comme les refuges de montagne. Une chose est certaine , je veux rester en Corse ! À la ville et au village…»

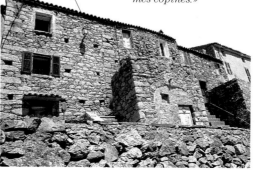

Aurelia collectionne les parfums.

Aurelia

Aurelia aime beaucoup les beignets à la farine de châtaigne que prépare sa grand-mère.

Le figatellu, saucisse de foie de porc, se mange grillé au feu de bois, en accompagnement de la pulenta.

« J'aime écouter de la musique. D'ailleurs, plus tard, je voudrais être musicienne ou chanteuse, comme ma mère et ma tante. Elles chantent dans le groupe des Nouvelles Polyphonies corses. C'est une belle façon de faire connaître la Corse, de la partager...C'est elles qui ont chanté pour l'ouverture des Jeux olympiques d'Albertville et pour le pape à Paris. J'en suis très fière ! »

LA CUISINE

Aurelia est très gourmande, surtout de pâtes au pistou, un mélange de basilic, d'ail et de parmesan. Elle aime aussi la charcuterie, les fromages et la pulenta, l'hiver : «c'est de la farine de châtaigne que l'on tourne avec un gros bâton dans une marmite. Tout le monde est là autour…».

La charcuterie corse est particulièrement réputée : ici du lonzu (filet de porc fumé) et de la saucisse.

La collection de CD

SON ÉCOLE

Aurelia entre en 5ᵉ au lycée Simon-Jean-Vinciguerra de Bastia. «C'est un bâtiment ancien entièrement rénové. Je crois que c'est un ancien monastère. Certaines pièces sont voûtées, j'aime cette ambiance où on imagine plein d'histoires… le passé !»

Baignade avec les cousins et les copains du village, dans le Golo, le fleuve qui coule au creux de la Scala Santa Regina.

Aurelia et son cousin Ange-François montent Grisgiettu (le «Petit Cheval Gris»), le cheval de leur grand-père.

SON ORDINATEUR

Aurelia a un ordinateur depuis qu'elle a dix ans, c'est son grand-père maternel qui le lui a offert. «J'y suis habituée, je fais mes devoirs avec. Je ne suis pas encore connectée à Internet. Je crois bien que je vais écrire mon journal sur ordinateur.»

« J'aime la musique. En ce moment, j'écoute les Spice Girls, les Beatles, Khaled… et bien sûr les polyphonies corses. J'ai assisté, à Calvi, à un «concert-rencontre» de polyphonies, les «NPC», avec un groupe de jazz. La guitare électrique sur les polyphonies, c'est extraordinaire !... Ça m'a donné envie d'apprendre la guitare.»

Les polyphonies sont des chants traditionnels corses à plusieurs voix.

Aurelia aime beaucoup les vêtements, surtout ceux de la styliste bastiaise Christiane Guerrini. «J'adore son style, le contraste des couleurs et des graphismes.»

LA RELIGION

Aurelia est croyante, elle va, une fois par mois, à l'église de son village, l'église Saint-Sauveur. «J'y accompagne ma grand-mère. Mais ce n'est pas la peine d'y aller trop souvent. Ce qui compte, c'est de prier… peu importe l'endroit.»

RANDONNÉES EN MONTAGNE

Aurelia raffole des longues promenades en montagne. Elle a déjà escaladé le Monte Cinto, le sommet plus haut de Corse, et est fière d'avoir parcouru le chemin de transhumance entre le Niolu et la Balagne : «Je l'ai fait à 11 ans, comme mon grand-père lorsqu'il a fait sa première transhumance de berger.»

Virginie

Virginie a 9 ans ans. Elle vit au milieu des vignes, dans un village près de Béziers. «La maison de mes rêves, je l'imagine dans les arbres. Dans ma cabane on aurait des jeux, la télévision, on irait goûter dedans avec mes frères, mes cousins, mes cousines et mes copines. Mais, en fait, mes deux plus grands souhaits se sont réalisés : c'était de faire du cirque et d'habiter une plus grande maison – avant, on n'avait que deux pièces.»

«Avec ma cousine Estelle, on joue au cirque. Elle aimerai bien en faire aussi.»

BÉZIERS

Virginie vit dans une maison à Valros, un petit village du sud de l'Hérault, pas très loin de Béziers, dans le Languedoc.

Sa mère, Marie-Laure, 33 ans, est secrétaire.

Valentin a 2 ans.

Son père, Gilles, 35 ans, est viticulteur.

Virginie

Vincent a 6 ans.

SA FAMILLE

Toute sa famille maternelle habite sur la même «campagne» (domaine). Les cousins sont réunis pour la photo, en bas.

Depuis qu'ils ont leur nouvelle maison, Virginie peut inviter des amis, ses parents aussi. Son père est le spécialiste du barbecue. Les grandes réunions familiales sont fréquentes, surtout pour les anniversaires.

SA MAISON

Pendant longtemps, ses parents ont habité un petit appartement : le métier de viticulteur est très dur, les revenus peuvent être très faibles. Le père de Virginie a dû prendre de gros emprunts et la famille a longtemps vécu sur le salaire de sa mère. Maintenant ça va mieux, le vin se vend bien.

Les viticulteurs sont toujours exposés à une mauvaise récolte. Pour cette raison Gilles, le père de Virginie, regarde attentivement la météo tous les jours. Au mois de mai, une nuit de gel n'a pas été annoncée et il a perdu une partie de ses raisins, heureusement pas trop.

Virginie porte à la fois le nom de famille de son père et celui de sa mère. Elle a deux petits frères.

LA NOUVELLE MACHINE À VENDANGER

L'événement, cette année, c'est l'achat d'une nouvelle machine à vendanger que son père partage avec trois autres exploitants. Elle cueille le raisin et le met automatiquement dans des bacs. «Nous, après, on prend un seau et un sécateur et on coupe le raisin qui reste. Mon frère Vincent et moi, on en mange aussi beaucoup.»

Voici l'étiquette de la cave coopérative de Valros

La maison est entourée de vignes. Son père en exploite 34 ha.

«Je suis la seule de la famille à ne pas aimer le vin. Ça a un drôle de goût. On ne dirait même pas que c'est du raisin. Ici il y a plus de raisin rouge que de blanc, donc plus de vin rouge que de blanc, mais je n'aime ni l'un ni l'autre.»

LA VIGNE

Le vin fait partie intégrante de l'histoire familiale de Virginie : son père est viticulteur, ses deux grands-pères aussi, tout comme l'était son arrière-grand-père paternel. Dans sa région, les vignes s'étalent partout à l'horizon. Son grand-père est d'ailleurs un leader du mouvement viticole et son père participe souvent aux manifestations de viticulteurs.

LA COOPÉRATIVE

Toute la récolte est envoyée à la coopérative du village : c'est un regroupement de petits viticulteurs qui mettent leur production en commun et partagent tous les investissements. Comme la région a entamé il y a dix ans une politique d'amélioration de son vin, le père de Virginie a dû arracher des vignes pour en replanter de meilleures. Il a dû attendre trois ans pour qu'elles soient productives.

La production de la propriété familiale

«Pour acheter la machine, mon père a dû remplir plein de papiers, ça a été long. Sur celle d'avant, on grimpait souvent, mes frères et moi ; là il y a moins de place mais on ira quand même.»

VALROS

Virginie

« *Mon père se lève le matin à 4 heures pour vendanger. Après les vendanges, il taille, puis il laboure et il «soufre» c'est-à-dire qu'il met du produit sur la vigne pour qu'elle soit jolie et qu'elle n'ait pas de bêtes. Il a du travail toute l'année.* »

Au trapèze, je fais des figures comme le panier, la sirène ou l'enroulade. Pendant l'été je m'entraîne sur le trapèze qui est chez moi. »

C'est Célia qui a appris à Virginie la chorégraphie des Spice Girls dont elle commence déjà à être une fan.

Sa cousine germaine Estelle a 11 ans. Elle est très proche de Virgine.

SES AMIES

Virginie a deux grandes amies : Célia et Charlène. Elles habitent à Montblanc, un village distant de 5 km, et se sont connues à l'école. «On ne se voit pas beaucoup, juste au centre aéré, où on va presque tous les jours pendant l'été, et à l'école. Heureusement, Célia vient coucher chez moi de temps en temps.» Plus aucune ne joue à la poupée.

PLOUF !

Après le cirque, l'autre passion de Virgine, c'est la piscine, construite en grande partie par la famille elle-même, où elle joue pendant des heures. Virgine vit d'ailleurs beaucoup dehors, un peu moins l'été parce qu'il fait trop chaud l'après-midi.

La piscine est en fait chez ses grands-parents qu'elle appelle «papette» et «mamette». Tous les cousins s'y retrouvent.

LES ANIMAUX

Dans la «campagne» de Virginie, il y a deux chevaux, Dune et Fleur, et un épagneul fatigué, Gary. Virgine s'occupe toute seule de son cochon d'Inde, Pirouette.

Quelques expressions de la région : «Tu vas pas nous faire une cagade» (Tu ne vas pas faire de bêtise) ; «tuque» (courge)…

La chichoumée est une ratatouille composée d'aubergines, de tomates, le tout cuit dans une persillade (mélange d'ail et de persil).

Les petits pâtés de Pézenas (la ville la plus proche) sont fourrés avec un mélange à base de viande. «Ma grand-mère nous en apporte souvent». Le boulanger qui les fait garde jalousement sa recette.

Virginie est en bas, à gauche

LE CIRQUE

La grande passion de Virginie, c'est le cirque. «Je vais à l'école du cirque de Béziers le mercredi. J'apprends à jongler, je me débrouille bien avec deux balles, moins avec trois. Je fais du trapèze et là j'y arrive bien. Je marche aussi sur un fil ou sur un rouleau avec une planche dessus.»

LA NOURRITURE

Virginie mange de tout mais adore le chocolat, «sauf en gâteau. J'en mange le matin, le midi et le soir. J'aime aussi beaucoup les melons. Je peux en manger presque une moitié». Tous les légumes viennent du potager familial.

PERPIGNAN

Roberto

Roberto a 12 ans. Il est inséparable, depuis toujours, de son cousin germain Xino. Ils font tout ensemble : de la musique et des concerts, du football et des balades dans les rues de leur quartier qu'ils connaissent par cœur. «On est des amis, des frères et des cousins, dit Roberto. Plus tard je voudrais être artiste, musicien professionnel, donner des cours de musique ou de football à des jeunes pour qu'ils fassent comme moi.» Il se voit bien vivre plus tard à Perpignan, toujours en compagnie de Xino, avec qui il continuerait à jouer de la musique et à faire des concerts.

PERPIGNAN

Depuis une cinquantaine d'années, près de 5 000 Gitans se sont sédentarisés au cœur de cette ville proche de la frontière espagnole. Ils se sont regroupés dans le quartier Saint-Jacques, où habite Roberto. Tout le monde vit dehors, les rues sont très étroites et il y a peu de commerces.

DANS L'ÉPICERIE DE SA GRAND-MÈRE

Au cœur du quartier Saint-Jacques, sa grand-mère Thérèse tient une épicerie. Elle y vend jusque tard dans la nuit des bonbons et des produits de première nécessité. Roberto y est souvent, avec Xino.

Pour les fêtes de famille, qui sont assez fréquentes, il n'y a jamais moins de 50 personnes ! Tout le monde chante et danse très tard dans la nuit, les enfants participent.

Xino

Sa grand-mère paternelle, Thérèse

Roberto

Joseph (41 ans), son père, est musicien. Tout le monde le surnomme Mambo.

Xino, son cousin préféré

Rolland, son oncle

Roberto

Sa mère, Élisabeth, a 38 ans.

À cause de la consanguinité, fréquente chez les Gitans, son frère Ludovic, 10 ans, a la même maladie très rare que le musicien Michel Pettruciani. Après Xino, c'est de lui que Roberto est le plus proche.

SA FAMILLE

Roberto a deux sœurs, Maria, 19 ans, Jessica, 17 ans, et deux frères, Yaffou, 21 ans, et Ludovic. Il voit beaucoup ses oncles et tantes qui vivent dans le même quartier. Sa famille a des ascendances espagnoles, arabes et gitanes. Son arrière-grand-mère paternelle faisait partie de la première famille installée après la Seconde Guerre mondiale dans le quartier Saint-Jacques.

Les deux cousins sont inséparables. S'il leur arrive de se bagarrer, ils ne se fâchent jamais. Comme Xino est le plus vieux (il a 14 ans), il est autorisé à donner des «ordres» à Roberto. Le respect des gens plus âgés est en effet très fort chez les Gitans.

«La famille de mon père habite dans ma rue, celle de ma mère dans une rue derrière.»

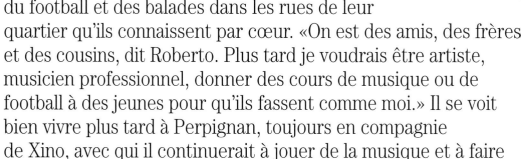

LA MUSIQUE

«Je ne me rappelle pas quand j'ai commencé la musique.» Au début Roberto ne jouait que dans les fêtes, mais, depuis un an, il donne des concerts, avec Xino, leurs deux pères et deux de leurs oncles. Aucun gitan ne connaît le solfège mais Mambo voudrait que son fils et son neveu apprennent, ne serait-ce que pour pouvoir écrire des partitions et en toucher les droits d'auteur. En attendant, ils travaillent à l'oreille tous les trois dans un local mis à leur disposition par l'association «Tous pour l'École».

Pour donner à leurs guitares les rythmes de la rumba, les Gitans ont détendu leurs cordes.

Roberto chante ; Xino aussi, mais lui préfère les percussions.

Voici le press-book du groupe de Mambo, qui s'appelle «Los Rumberos Catalanos».

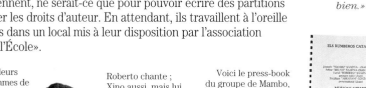

«Dans le quartier il y a beaucoup de problèmes de drogue. Un des oncles de Xino est mort d'overdose. Ça impressionne beaucoup. Nous, plus tard, on ne touchera jamais à ça. La musique et le sport, ça nous protège de la drogue.»

Les deux garçons sont fiers d'appartenir à la communauté gitane. Les autres sont appelés les payos (prononcer «payous»).

« Xino et moi, on a six à huit chansons ; c'est mon père qui s'occupe de l'organisation des concerts et il joue de la guitare avec nous. J'avais très peur la première fois que je suis monté sur scène. Maintenant j'ai encore le trac mais si la première chanson est bonne, alors ensuite tout se passe bien. »

La musique des Gitans de Perpignan n'est pas du flamenco mais de la rumba gitane catalane. Elle est née à la fin des années 1950 des échanges musicaux entre Cuba et l'Espagne. Grâce à elle, de nombreux Gitans sortent de leur quartier pour faire des tournées musicales ; Roberto est ainsi allé à Montpellier, Nantes, Rotterdam…

roberto

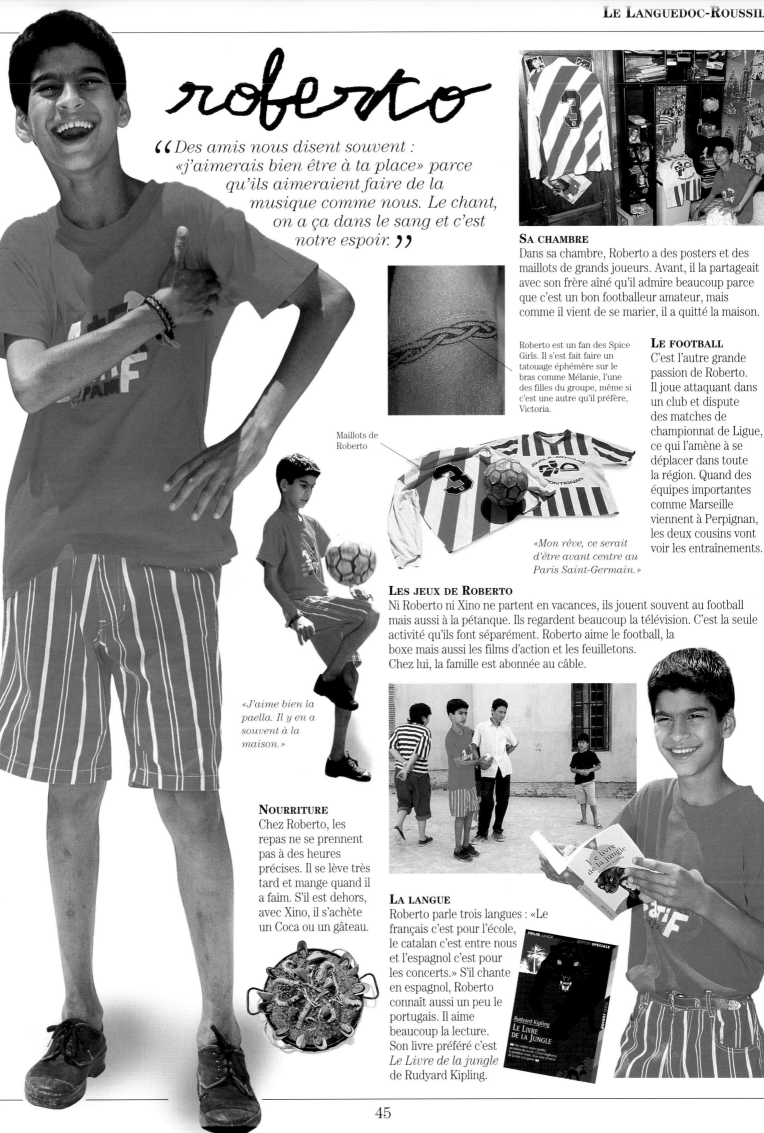

« *Des amis nous disent souvent : «j'aimerais bien être à ta place» parce qu'ils aimeraient faire de la musique comme nous. Le chant, on a ça dans le sang et c'est notre espoir.* »

SA CHAMBRE

Dans sa chambre, Roberto a des posters et des maillots de grands joueurs. Avant, il la partageait avec son frère aîné qu'il admire beaucoup parce que c'est un bon footballeur amateur, mais comme il vient de se marier, il a quitté la maison.

LE FOOTBALL

C'est l'autre grande passion de Roberto. Il joue attaquant dans un club et dispute des matches de championnat de Ligue, ce qui l'amène à se déplacer dans toute la région. Quand des équipes importantes comme Marseille viennent à Perpignan, les deux cousins vont voir les entraînements.

Roberto est un fan des Spice Girls. Il s'est fait faire un tatouage éphémère sur le bras comme Mélanie, l'une des filles du groupe, même si c'est une autre qu'il préfère, Victoria.

Maillots de Roberto

« *Mon rêve, ce serait d'être avant centre au Paris Saint-Germain.* »

LES JEUX DE ROBERTO

Ni Roberto ni Xino ne partent en vacances, ils jouent souvent au football mais aussi à la pétanque. Ils regardent beaucoup la télévision. C'est la seule activité qu'ils font séparément. Roberto aime le football, la boxe mais aussi les films d'action et les feuilletons. Chez lui, la famille est abonnée au câble.

« *J'aime bien la paella. Il y en a souvent à la maison.* »

NOURRITURE

Chez Roberto, les repas ne se prennent pas à des heures précises. Il se lève très tard et mange quand il a faim. S'il est dehors, avec Xino, il s'achète un Coca ou un gâteau.

LA LANGUE

Roberto parle trois langues : «Le français c'est pour l'école, le catalan c'est entre nous et l'espagnol c'est pour les concerts.» S'il chante en espagnol, Roberto connaît aussi un peu le portugais. Il aime beaucoup la lecture. Son livre préféré c'est *Le Livre de la jungle* de Rudyard Kipling.

Murielle

Murielle habite Toulouse, où elle est née ; elle a des origines espagnoles par son père et se sent appartenir un peu aux deux pays. «J'ai 11 ans. Je suis plutôt grande avec des cheveux longs châtain clair et des yeux verts. Il paraît que j'ai du caractère et que je suis têtue. En tout cas, quand je veux quelque chose, je ne renonce jamais. J'aime aussi que les choses soient bien rangées et, dans ma chambre, que le lit soit bien fait et les objets et les livres à leur place.» Murielle adore aussi les animaux. Son rêve ? Devenir vétérinaire.

TOULOUSE

Murielle habite au troisième étage d'un immeuble à Toulouse, la capitale de la région Midi-Pyrénées. Cette ville de 700 000 habitants est aussi appelée «ville rose», à cause des briques et des tuiles des maisons. Maintenant, Murielle aimerait habiter une maison pour avoir plus d'espace et que son chien «puisse courir partout».

«Je voudrais avoir une maison en pierre avec une cheminée et un immense jardin, mais en ville. À la campagne, je m'ennuie.»

Patrick, son père

Lise, sa mère

Caroline, sa petite sœur, a 6 ans.

Avec son papi d'origine espagnole, Murielle aime jouer au volley et aux dames. Il lui apprend aussi les échecs.

Murielle

SA FAMILLE

Son père est documentaliste-projet au Centre national d'études spatiales (CNES). En ce moment, il fait partie de l'équipe qui conçoit un nouveau satellite scientifique. Sa mère travaille au service du personnel du Centre régional des œuvres universitaires et scolaires.

SES GRANDS-PARENTS MATERNELS

Sa grand-mère s'appelle France, parce qu'elle est née en 1917 pendant la Grande Guerre. Elle habite un petit village du Tarn, à la campagne. «Chez elle, il y a toujours plein de trucs à manger, mais ce que j'adore, c'est la bavette. Quand les mamies cuisinent, c'est toujours meilleur.»

«Francisco, mon papi de Toulouse, habitait en Espagne quand il était jeune. Et puis, il y a eu la guerre civile, et il a été obligé de se réfugier en France parce qu'il était républicain. En arrivant, il a été fait prisonnier dans un camp près de la frontière à Argelès. Il s'est échappé et il est venu à Toulouse où il a rencontré ma mamie.»

«Il me tarde que ma sœur ait 8 ans. Elle saurait écrire et on pourrait mieux jouer ensemble.»

«Plus tard, je voudrais aller à Barcelone. C'était la ville de mon grand-père et il y a la statue de Christophe Colomb.»

Le père de sa mère était instituteur.

Leur tante Anne-Marie leur a confectionné ces costumes pour Noël.

«Chez moi, on ne parle pas l'espagnol, mais je sais que mon père le connaît et, à l'école, j'ai appris quelques mots. Je ne sais pas pourquoi, mais quand on va dans ce pays en vacances, je m'y sens bien comme si c'était mon pays natal. J'aimerais bien parler cette langue.»

À la Cité de l'espace, avec son père et sa sœur.

L'ESPACE

Murielle aime bien en parler avec son père, «parce que c'est un peu comme les maths. Mais je n'aimerais pas partir dans l'espace comme l'astronaute toulousaine Claudie Deshayes. Je préfère rester les pieds sur terre.»

«Je me sens moitié française, moitié espagnole. Et puis, les Pérez, à Toulouse, il y en a une pleine page d'annuaire !»

Murielle

« *Comme mon père, je préfère les maths au français. J'ai toujours peur de me tromper dans les conjugaisons et je trouve que c'est une langue difficile parce qu'il y a plein d'exceptions.* »

«Avec mes amies, on joue tout le temps ensemble, à l'école mais aussi à la maison. Parfois, je vais dormir chez elles. Je n'aime pas rester seule, je m'ennuie. »

SES MEILLEURES AMIES
Elles sont plusieurs : Géraldine, Emmanuelle, Fanny, Charlotte mais surtout Lisa. Murielle a aussi une correspondante américaine. «J'ai fait sa connaissance grâce à Maryse, ma maîtresse. Je suis allée la voir au mois de mai. Les Américains sont sympas mais ils mangent trop de glaces et trop de tout en général.»

Laura, la correspondante de Murielle, habite Berkeley, près de San Francisco. Elle a 11 ans.

Murielle   Emmanuelle

Les bonbons préférés de Murielle.

Son ours brun s'appelle Sans-Nom !

Murielle aime beaucoup ses peluches.

Jakadi   Chipie

«À la maison, on mange le plus souvent des pâtes. J'aime aussi les frites et le melon, mais la cuisine ce n'est pas mon truc. Par contre, j'adore les bonbons. Après la classe, je vais souvent chez Irène, à côté de mon école, pour m'acheter des friandises.»

«J'adore me maquiller. Dans ma chambre, je joue à la secrétaire : je me mets du rouge à lèvres, je me maquille les yeux, mais je n'ose pas sortir comme ça.»

HEUREUSE D'ÊTRE UNE FILLE
Sa passion, après les animaux, c'est l'habillement. «J'aime faire les magasins avec ma mère et je mets toujours trois heures à choisir ce qui me plaît. Normal, nous, les filles, on a beaucoup de choix.»

«Mon accent, je ne l'entends pas. Mais quand je vais à Paris, par exemple, on me demande si je ne suis pas marseillaise. Je n'y ai jamais mis les pieds.»

«Cela faisait quatre ans que je voulais un chien ; alors, avec mes parents, on est allés à la SPA pour en choisir un. On a trouvé Greg. C'est un petit labri de 2 ans. Il a le poil gris et il est très doux. Depuis qu'il est là, je suis très heureuse à la maison.»

Philippe

«Je m'appelle Philippe, j'ai 10 ans. J'habite Saint-Paul-d'Oueil, un petit village à 6 km de Luchon dans les Pyrénées. Mes parents et mes sœurs m'appellent Philou et mes copains me surnomment Sucette, parce que, quand je suis agacé, je suce le col de mon pull. Mon rêve est de devenir instituteur. On a beaucoup de vacances et j'adore l'école, surtout écrire au tableau. Ma maîtresse dit que j'écris comme un chat, mais je suis prêt à m'appliquer.»

«Moi, j'aimerais bien vivre ici toute la vie. On se sent libre, on peut se promener partout, monter à la montagne. J'aime le calme, la nature, les animaux, et il n'y a pas trop de voitures. Et puis, s'il fallait habiter en ville, je serais obligé de me séparer de Pâquerette, mon mouton...»

SON VILLAGE
Saint-Paul-d'Oueil se situe à 1 000 m d'altitude, sur la route du col de Peyresourde dans la vallée des Sept-Villages. Il compte 12 familles et 40 habitants. L'été, beaucoup de touristes y viennent pour profiter de la montagne.

Louisette, sa grand-mère paternelle, habite Luchon.

Christiane, sa mère

Jean-Pierre, le père de Philippe

Sa grand-mère maternelle, Lucette, qu'il appelle «Mané».

Sa grande sœur, Sandrine, 25 ans, est couturière à Luchon.

Karine, sa sœur de 20 ans.

SA FAMILLE
Philippe vit avec son père Jean-Pierre, sa mère Christiane, sa sœur Karine qui a 20 ans et sa grand-mère Lucette. C'est avec elle, le soir, qu'il fait ses devoirs. L'été, son père travaille aux thermes de Luchon et sa mère élève des moutons. «Nous en avons 110 de race tarasconaise. Une race un peu particulière puisque même les femelles portent des cornes.»

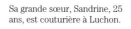

La grange et la bergerie

La maison d'habitation

SA MAISON
La maison a toujours été habitée par la famille. Elle est en pierre du·pays, couverte avec de l'ardoise. Le toit est pentu pour éviter que la neige ne s'accumule l'hiver.

« Quand ma grand-mère était jeune, la maison était une auberge. Aujourd'hui "Mané" fait seulement bureau de tabac et point de vente pour le gaz. Nous vendons aussi des cartes postales et le miel des ruches de mon père.»

Les parents de Philippe et sa sœur sont moniteurs de ski l'hiver à la station de Peyragudes.

La spécialité du village, c'est la «pistache», un plat que l'on fait cuire en mélangeant des haricots blancs, du mouton salé et des bouts de jambon.

C'est Karine, la sœur de Philippe, qui s'occupe des chevaux.

LES ANIMAUX À LA MAISON
Outre les moutons, il y a chez Philippe une vingtaine de chevaux mais aussi deux chiens, Indra et Pif, et trois chats, Mimi, Mistigri et Chipie.

Philippe aime tout sauf l'aubergine. Son plat préféré, c'est la purée que prépare sa sœur Karine. «Je sais faire le flan à la vanille, les crêpes et le pain d'épice, que je prépare... sans épices».

«J'ai chaussé mes premiers skis à 2 ans et demi. J'aime bien en faire pour le plaisir et pour la balade. Pas pour la compétition comme ma sœur. Elle a gagné plein de coupes qui sont sur la cheminée de la salle à manger. Papa m'a dit qu'un jour j'aurais le déclic pour avoir envie de gagner.»

«Je suis catholique. J'allais quelquefois à la messe avec ma mère et ma grand-mère, mais c'est moi qui ai choisi d'aller au catéchisme. J'ai suivi mon copain Arthur et j'avais envie de comprendre ce que disait le curé à la messe.»

Philippe

«Je me promène souvent avec Pâquerette. Je lui ai même fait un collier pour les fois où on se balade dans le village.»

❝ *Avec mes parents on part seulement une semaine par an, à la Toussaint : entre la saison d'été et la saison d'hiver. Les voisins nous gardent les moutons et les chevaux. On va au bord de la mer à Llansa, sur la Costa Brava.* ❞

Le cahier de poésie de Philippe

«J'aime les mathématiques parce que c'est facile, et la poésie parce que c'est beau. Je n'aime pas l'histoire à cause des dates et la géographie parce qu'il faut toujours dessiner des croquis.»

SON COPAIN PRÉFÉRÉ

C'est un petit mouton d'un an, que Philippe a baptisé Pâquerette. Sa mère est morte en le mettant au monde : il a donc été élevé au biberon de lait !

LES PLANTES, LA NATURE

Philippe aime bien les plantes. Son père lui a donné des graines et il cultive son propre jardin. «J'ai planté des pommes de terre, des salades et des fraises. Je mets aussi de l'engrais pour que ça pousse plus vite.» Philippe aime aussi les fleurs, surtout les coquelicots et les boutons-d'or. «J'adore aussi la marjolaine qui sent très bon. Je fais des bouquets et toute la famille en profite.» Avec son père, à l'automne, il cherche les champignons dans la forêt, «des cèpes et des girolles, mais aussi des mousserons dans les prés».

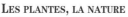

«Avec mes copains, on joue à s'attraper pendant la récré et parfois ils viennent dans mon village. Je les emmène dans mon coin préféré, au bord d'un petit ruisseau, où j'ai fabriqué un petit barrage. Je leur fais goûter des herbes dont la racine est sucrée, je leur explique comment les limaces se reproduisent et on mange à la saison des fraises des bois.»

SES MEILLEURS AMI(E)S

Dans le village, il n'y a pas de garçons de son âge. Ses copains sont des copines : Marion, Marie-Neige, Violette et Noellie. «On joue au Monopoly et on fait des grandes balades dans la vallée. Dans le village, il y a aussi un vieux lavoir où on élève des têtards.» Mais, à l'école, Philippe a deux amis : Arthur et Nicolas.

«Une fois, chez un ami de Karine, à Toulouse, j'ai essayé le ski nautique. C'était chouette. J'aimerais bien recommencer.»

Philippe emmène ses copains jouer dans son endroit préféré.

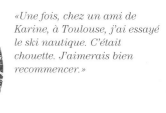

Arthur, le copain d'école de Philippe

SON ÉCOLE

Elle se trouve à Luchon, à 7 km du village. Tous les matins, Philippe se lève à 7 heures et prend un minibus, un 4X4, parce que l'hiver il y a souvent de la neige sur la route : «Malgré le chasse-neige, j'ai manqué trois fois la classe cette année à cause du mauvais temps.»

Jon

«J'ai 11 ans. Mon nom, Jon (prononcé Yon), signifie Jean ; je suis basque et, parlant basque, je vais à l'*ikastola*, l'école basque bien sûr. J'habite Sare, un petit village perché sur une montagne qui s'appelle La Rhune. Ma maison se trouve à l'extérieur du village. Mon activité favorite, c'est la pelote basque. Plus tard, je voudrais devenir cuisinier ou pâtissier, mais je ne sais pas très bien encore. Mon grand rêve serait de faire de la plongée sous-marine.»

LE PAYS BASQUE

Il se compose de sept provinces : le Labourd, la Basse-Navarre, la Soule, la Navarre, le Guipùzcoa, la Biscaye et l'Alava. Sare est un joli village du Labourd au pied de la montagne, avec un grand fronton sur la place pour jouer à la pelote. Les maisons, anciennes, s'agrémentent de balcons fleuris. L'hiver, la vie est calme mais, l'été, les touristes viennent nombreux profiter de la montagne.

Sa mère, Maia, est de Saint-Jean-de-Luz.

Jon

Son père, Christian, est de Biarritz.

Sa sœur, Pantxika. (Pantxika veut dire Françoise, en basque.)

Sa maison est typique des maisons basques, avec sa façade blanchie à la chaux, qui fait ressortir les pans de bois.

«J'aime beaucoup ma maison. C'est une ancienne ferme tout en pierre couverte de lierre au pied de la montagne, avec un grand jardin et une piscine. Il y a aussi un grand champ que mon papa laisse au berger pour les moutons et, juste à côté de la maison, un vieux lavoir. Plus tard peut-être mes parents achèteront un pottok, *un poney basque.»*

RANDONNÉE EN MONTAGNE

Le dimanche matin, Jon va marcher avec ses parents. Il adore aussi le VTT, les chemins de montagne étant nombreux autour de sa maison.

LES VACANCES

Jon préfère les vacances… mais aime l'école pour voir les copains. «Avec mes parents, je vais à l'étranger. On est allés en Égypte, au Kenya, et en Corse. Mais ici, on a tout : la mer et la montagne.»

Sur la plage de Bidart, près de Saint-Jean-de-Luz, à une vingtaine de kilomètres de chez lui, Jon fait du body-board dans les rouleaux de l'Atlantique.

Ikurrina, le drapeau basque.

Jon aime beaucoup jouer au *mus* avec sa sœur : c'est un jeu de cartes basque où il faut beaucoup mentir.

SA FAMILLE

«*Ama* (maman en basque) travaille avec *aita* (papa) qui est grossiste de peinture. J'ai aussi mes grands-parents. En basque, on les appelle *aitatxi* et *amatxi*. Je les vois souvent, ainsi que mes cousins, pendant les vacances et au moment des fêtes comme Noël, quand on se retrouve tous chez eux.»

Son grand-père maternel, Jean Larregain, était déjà un joueur de pelote. Il tient à la main la chistera.

«À Noël, on fait toujours un repas avec du foie gras ; le 24, avec la famille de mon papa, et le lendemain avec la famille de ma maman. Et chaque année, je vais aux fêtes de Sare. Elles sont très animées. Il y a des manèges, des jeux, des chants et des parties de pelote.»

Voici une composition de Jon sur la *korrita*, une grande course pédestre qui chaque année parcourt en relais les sept provinces basques pour la défense de la langue :
*«Larrunbatean dago
Hemengo korrika
Lasterka ta ibiliz
Badugu musika
Gure erakaslea
Izan da Pantxika
Kantatuz ta dantzatuz
Egin du korrika»*
(Samedi passe la korrika/En marchant et en courant/Nous avons la musique/Notre institutrice a été Pantxika/Qui participe à la korrika/En chantant et en dansant)

Je me sens plus basque que français, parce que je suis né au Pays basque, et puis je parle le basque. Mais je suis un petit garçon comme les autres.»

En basque, on dit egun on pour dire bonjour. Gatua c'est le chat, xakurra, le chien, ahatea le canard. C'est super se dit bikain da, cool usai. Quand on veut dire que quelqu'un est bête, on appelle asto putz, et l'âne.»

«Parfois, le samedi après-midi, j'ai des championnats de pelote. Mes parents et ma sœur viennent me voir.»

Jon protège sa main avec de l'Elastoplast avant chaque partie.

Sa pelote, en cuir, pèse 80 gr.

❝ *Je parle basque à l'école, avec mes parents, mes copains, ma mère et ma sœur. Mon papa ne le connaît pas, il sait juste quelques mots. C'est une langue qui ne ressemble pas du tout au français et j'aime ses sonorités.* ❞

LA PELOTE BASQUE

Jon est passionné par la pelote basque, qu'il pratique en compétition. Il a commencé à 6 ans. Il joue à mains nues deux ou trois fois par semaine au fronton du village. «L'été, je joue au fronton et l'hiver en trinquet, c'est un fronton couvert.»

Le fronton de Sare

Dans la pelote, il s'agit de lancer la balle contre le fronton et de la reprendre à l'intérieur d'un terrain aux limites bien définies. Certains le pratiquent à main nue, comme Jon, d'autres avec un gant ou des palas (raquettes en bois).

L'ÉCOLE

Jon va à l'*ikastola* à Saint-Jean-de-Luz. C'est une école où les cours sont dispensés en basque. «Le matin, nous avons basque et l'après-midi français. Les mathématiques et l'histoire se font en basque. Cette année nous avons été en classe de neige à Piau Engaly, dans les Pyrénées.»

«J'aime lire Le Club des cinq *et les BD. Des fois, je lis* Tintin *et* Astérix *en basque. J'ai le* Tintin Urrezko hangindun karramarroa, *c'est-à-dire* Le Crabe aux pinces d'or. *Je suis aussi abonné aux* Clefs de l'actualité *pour les informations du monde entier, et à* Mikado. *J'aime lire le soir au lit. Je regarde aussi* Euskal Telebista, *la télévision basque.»*

«Je fais collection de bateaux : des maquettes et des bateaux en bouteilles. Et puis aussi de vignettes de basket et de foot.»

«Le fronton est l'endroit du village que je préfère parce que je joue à la pelote avec mes amis.»

Jon

La pelote se joue par équipes de deux. Jon joue à l'avant et Inaki à l'arrière.

Les pimientos sont de gros poivrons. Sa maman les cuisine très bien.

SES AMIS

«J'ai plusieurs copains : Xabi, Haritz, Inaki et Benjamin. Ils parlent tous basque. Mon meilleur ami, c'est Xabi, je l'ai connu à l'école. Nous jouons ensemble au foot, mais il joue aussi à la pelote et nous nous sommes déjà rencontrés pour des championnats à mains nues. Sur la place de Sare, je joue avec Inaki, je fais du vélo, mais surtout je joue à la pelote. Benjamin, lui joue à Joko garbi, un jeu de pelote qui se pratique avec une chistera (un gant en osier).»

GASTRONOMIE

«Ma maman réussit bien tous les plats. Au Pays basque, on prépare le piment vert d'Espelette, les *pimientos* qui viennent de la région de Pampelune, et l'*axoa*. C'est un plat où il y a de la viande hachée avec des patates, des piments verts et rouges.»

LE LOT-ET-GARONNE

C'est un département plutôt rural ; les cultures de légumes et de fruits se concentrent dans les vallées de la Garonne et du Lot. Les pruneaux d'Agen sont particulièrement réputés.

Stéphanie

«Je m'appelle Stéphanie. Mes copines à l'école et ma maman m'appellent Stéphie, je ne sais pas pourquoi, mais cela ne me gêne pas. J'ai 10 ans et demi. Je vais à l'école de Lusignan-Petit, et j'habite Madaillan, à 15 kilomètres d'Agen. Je suis grande, j'ai les cheveux noirs et les yeux marron. L'important pour moi dans la vie, c'est qu'on soit tous en bonne santé. Je ne sais pas encore ce que je veux faire plus tard, peut-être coiffeuse, parce que j'aime bien coiffer.»

MADAILLAN

Du côté maternel, sa grand-mère est espagnole, son grand-père basque. Ils se sont rencontrés au Maroc et ont ensuite émigré vers Bordeaux, avant de descendre dans le Lot-et-Garonne et de s'y installer.

Son papi est son grand-père paternel. Il habite juste à côté de chez eux.

Son père est arboriculteur. Il s'occupe des vergers de cerisiers, poiriers, pommiers et pruniers qui entourent la maison.

Du côté de son papa, Stéphanie descend de la plus vieille famille du village. Sa maison a d'ailleurs 250 ans !

Le pigeonnier

Sa mère s'occupe de la maison.

Séraphin a 9 ans.

Caroline a six ans.

SA FAMILLE

Stéphanie vit avec ses parents, son frère et sa sœur. Elle joue beaucoup avec eux aux jeux de société, au papa et à la maman, à faire du vélo… Elle est l'aînée et s'en sent responsable : «Je m'occupe d'eux, je n'ai pas envie qu'ils se fassent mal.»

«Ici, les maisons sont assez vieilles, elles ont presque toutes un pigeonnier. Certaines sont en pierres, d'autres en briques. Le toit est en tuiles. Mais il y en a quand même aussi des neuves !»

SA MAISON

«J'habite une grande maison entourée de vergers, il y a beaucoup d'espace, de grandes fenêtres, avec des volets blancs. Il y a un pigeonnier. C'est une très vieille maison.»

COUSINS ET GRANDS-PARENTS

Une grande partie de la famille habite près de chez elle. D'autres cousins habitent Avignon. «On les voit le week-end, ou pendant les vacances, soit on y va, soit ils viennent.»

Son paysage préféré est celui qui entoure sa maison.

«Comme paysage, j'aime beaucoup les vallées, avec tous les champs, cela fait des couleurs, on dirait des morceaux qui sont rapiécés. Et j'adore le village de Lusignan, parce que c'est petit, c'est calme, et c'est là qu'il y a mon école et mes amies.»

«Mes grands-parents paternels et maternels habitent très près. On va les voir, pas tous les jours, mais dès qu'on peut, on va manger chez eux, ils nous invitent. Quand on est en ville, il arrive même qu'on les rencontre !»

Le maïs que les enfants font pousser.

EXPÉRIENCES AGRONOMIQUES

La maison est très proche de l'exploitation agricole. Cela donne des idées à Stéphanie, Caroline et Séraphin : dans le jardin, ils ont semé du maïs, afin de l'observer. Stéphanie a également planté des fleurs.

SA CHAMBRE

Stéphanie la partage avec sa petite sœur Caroline. «On peut jouer dedans, il y a de la place. On pourrait même mettre trois lits, mais ce serait un peu serré !» Elles l'ont décorée ensemble. Mais sa pièce favorite reste le salon : «C'est là que je regarde la télé quand je veux, et c'est là aussi qu'on se retrouve le plus souvent en famille.»

Claire et Stéphanie se connaissent depuis la maternelle. Elles s'invitent chez l'une ou chez l'autre, et jouent selon le temps, dehors ou dans leur chambre.

Jennifer

SES AMIES

«J'ai six copines. Je les aime toutes. Il y a Virginie, Claire, Jennifer, Audrey, Julie, Lise, elles ont toutes à peu près le même âge que moi. Je les ai connues à l'école ou au catéchisme.»

Stéphanie

«Ici, dans le Lot, on dit "chocolatine" pour pain au chocolat, "poche" pour un sac plastique ; au lieu de dire un plateau de fruits, nous on dit un "cageot". Mais je ne me rends pas compte que ce sont des expressions régionales, parce que ici tout le monde le dit !»

La fête la plus importante, pour Stéphanie, c'est Noël. «On a toute la famille avec nous, même ceux d'Avignon.» Sa famille suit certaines traditions espagnoles comme la paella pour le premier de l'an. Pour le réveillon de la Saint-Sylvestre «on mange du raisin, un grain à chaque coup de minuit. Il y a aussi les chansons».

«J'ai une tortue et un lapin, Calinette (c'est une fille). Le matin, quand je vais lui donner à manger, elle est contente !»

LES ANNIVERSAIRES

Pour les anniversaires, Stéphanie invite ses amies chez elle. Elles jouent ensemble, soufflent les bougies… Ici, c'est celui de sa sœur, qui a convié ses petites copines, Julie, Christelle et Marion.

SON ÉCOLE

Stéphanie est en CM2 à l'école de Lusignan-Petit. L'établissement n'est pas très loin de chez elle, mais ses parents l'y emmènent en voiture. C'est une petite école ancienne. Il y a en tout une vingtaine d'élèves, répartis en trois niveaux : CE2, CM1 et CM2. Pendant les récréations, Stéphanie discute ou joue avec ses amies à cache-cache.

Avec les autres élèves de sa classe, Stéphanie réalise un journal, le *Lusidaillan* (mélange de Lusignan et de Madaillan, deux communes dont dépend l'école). Ils y racontent ce qu'ils font à l'école, les sorties. Il a ainsi été question d'une expédition à Rocamadour, et d'un voyage à Disneyland.

Ici, la spécialité, avec le foie gras, c'est le pruneau d'Agen. C'est de la prune séchée. Son père en cultive.

«J'aimerais faire de la gym ou du cheval. Mais mes parents n'ont pas le temps de m'emmener. En fait, je ne fais pas de sport. Je reste à la maison à m'amuser. J'aide ma maman, ou je vais voir mon papa et je monte avec lui sur le tracteur.»

«J'aimerais vivre dans un château, dans une maison qui aurait beaucoup d'espace, pour pouvoir jouer en toute liberté.»

Stéphanie lit beaucoup, surtout des romans. Elle prend un livre avant de se coucher, et parfois dans la journée.

À TABLE

«On mange le plus souvent des pâtes, des frites et de la viande. Ce que maman réussit le mieux ce sont les lasagnes et le poisson en sauce avec du riz. C'est mon plat préféré.» Pour les réunions de famille, la grand-mère prépare une paella. Stéphanie aime aussi les glaces et le gâteau au yaourt.

Chez elle, il y a trois chiens. Stéphanie préfère Moustique, un petit chien au poil blond. Elle s'en occupe, lui donne à manger. Et même si certains lui disent qu'il n'est pas beau, elle l'adore !

Un de ses objets préférés

«Je regarde la télévision le matin quand je me réveille, le soir parce qu'il y a des jeux, et l'après-midi quand il y a des dessins animés ou des films.»

Son scrabble

LES CHEVAUX

Ses livres préférés

«J'aime le scrabble parce qu'on peut jouer avec nos parents. Alors que les jeux pour enfants, comme Piège, où il faut faire tomber des boules dans un trou, ils ne voudraient pas y participer ! Lorsqu'il faut trouver des mots, c'est plus intéressant. Je joue au Monopoly avec mon frère et ma sœur ou mes copines.»

Alice

Alice a 10 ans. Elle est d'origine portugaise, par sa maman. «Ma peau est plutôt bronzée, même quand je ne suis pas en vacances. Je suis parmi les cinq plus grandes filles de ma classe ; je suis mince, et plutôt vive de caractère. Mon rêve c'est de vivre plus tard au Portugal, dans un village comme celui de mes grands-parents maternels. Ce qui compte le plus pour moi ? Mes parents, mes amis, continuer à bien travailler à l'école, et surtout, lire. Si je n'avais qu'une distraction à choisir, ce serait la lecture.»

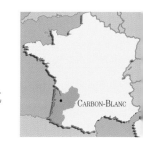
CARBON-BLANC

BORDEAUX

Bordeaux est la principale ville de l'Aquitaine, où habite Alice. Bâtie le long de la Gironde, la ville s'est surtout enrichie grâce au commerce du vin, particulièrement réputé dans le Bordelais.

Sa mère est originaire du Portugal. Elle est venue en France pour faire ses études et y a rencontré son futur mari.

Son père est professeur de mathématiques.

Sa petite sœur, Aline-Joana, a 7 ans.

Son frère Daniel a 13 ans.

Alice

SA FAMILLE

«Je vis avec mes parents, mon frère et ma petite sœur. On joue tous les trois à cache-cache dans le jardin et dans le parc de la résidence à côté. J'ai trente et un cousins, français et portugais, mais je n'en vois que quatre : deux Français, cousins germains, et deux Portugais, qui sont les enfants des cousins de maman, André (14 ans) et Vasco (9 ans). J'aime beaucoup voir ces derniers pendant les vacances, soit l'été, soit à Noël.»

«J'aime beaucoup mon frère aîné, même si on se dispute au moins une fois par semaine. Des fois, il me donne un conseil pour faire mes devoirs ou me fait réciter ma poésie.»

LA MUSIQUE

Alice aime bien écouter de la musique, en français et en portugais. De la techno, les Spice girls, la Compagnie Créole, le Festival Robles. Mais aussi des musiques traditionnelles d'Océanie. Elle regarde peu la télévision, et seulement si elle n'a pas école le lendemain.

Toutes les maisons du quartier se ressemblent ; elles sont en brique, recouvertes de crépi avec des toitures en tuiles romanes.

«Pour moi, la maison idéale est une maison à étage où on peut se cacher. Une ferme avec des animaux et une grande terrasse pour faire sécher le linge.»

Le drapeau portugais

«J'aimerais habiter au Portugal, chez mes cousins, et ne parler que le portugais.»

Le jeu préféré d'Alice, chez elle comme à l'école, c'est l'élastique.

«Mes grands-parents portugais, du côté de ma mère, habitent à Antas, au nord de Lisbonne, près de la plage. J'aime bien aller chez eux car ils ont une ferme avec un étage et une grande cour avec des animaux d'élevage : des poules, des lapins, des chèvres.»

«Mes grands-parents français, du côté de mon père, sont de Niort. Je les vois à presque toutes les vacances, soit chez eux dans les Deux-Sèvres, soit à Saint-Palais, près de Royan, où ils ont un appartement, soit quand ils viennent à la maison.»

SA MAISON

Alice habite à Carbon-Blanc, une petite ville à 7 km au nord de Bordeaux. «J'habite une grande maison individuelle, sans étage, que mes parents ont fait construire il y a trois ans dans un lotissement. Mon paysage préféré, c'est celui du parc derrière notre jardin.»

Son objet fétiche, c'est cet oiseau de 10 cm, couvert de paillettes et couleur mauve que lui a offert sa maman. *«C'est celui que j'aime le plus. J'aime le prendre ou seulement le regarder.»*

Je parle
couramment le
portugais et un
peu l'anglais.
J'ai appris le
portugais avec
maman et au
Portugal avec
mes grands-
parents et mes
cousins. J'écris et
prends des cours par
correspondance pour
améliorer. Je lis
aussi des livres
en portugais.
Je préfère
parler
portugais
que
français. »

Alice

Alice lit aussi
bien en français
qu'en
portugais.

❝ *Comme fête, je préfère en premier Noël, puis
mon anniversaire, la fête des Mères et la fête
des Pères. Ensuite Pâques, notre fête de famille
au Portugal le 15 août, dans le jardin de
l'arrière-grand-mère, et puis le 10 juin, la
fête nationale portugaise, quand on célèbre
le plus grand poète portugais, Luìs
Camões, qui a écrit, au XVIᵉ siècle, une
épopée, les Lusiades. Enfin, j'aime bien les
anniversaires avec mes copines.* **❞**

«Chez moi, c'est dans ma
chambre que je me
sens le mieux, car
elle n'est qu'à moi
et j'y vais quand
je veux. C'est la
pièce la plus à l'écart
de la maison. Sur la
tapisserie, j'ai mis
plein de petits cadres
faits par ma grand-mère
paternelle, ma photo de
classe et des posters.»

«Avec mes amis,
pour dire c'est
super, c'est très
bien, on se dit
c'est gavé
bien». »

LIRE, LIRE, LIRE
Alice aime, plus que
tout, lire. Ce qu'elle
préfère ? Des bandes
dessinées et des romans
de la Bibliothèque Verte
ou *Alice*. «Les derniers
que j'ai lus sont des
romans de la comtesse
de Ségur et *La Mare au
diable*. Je préfère lire
le soir dans mon lit et
je n'éteins que lorsque
j'ai fini le livre. Je lis
très vite.»

Les objets
préférés d'Alice

Le plumier en
bois offert par
sa grand-mère
paternelle.

Un stylo à encre offert par
une amie pour ses dix ans.

«L'endroit de la
commune que je
préfère, c'est l'école
et aussi la
bibliothèque. J'ai
fait des parcours
découverte de la
ville, mais c'est
quand même
l'école et la
bibliothèque que
je préfère. Plus
pour ce que j'y
fais que pour le
bâtiment.»

La bibliothèque

Alice joue beaucoup aux jeux
de société avec son frère, sa
sœur et ses amis. Elle aime
aussi beaucoup le jeu de
l'araignée : il faut être
maximum onze. Un des
enfants tend ses deux mains
écartées. Les autres enfants
lui tiennent chacun un doigt.
Celui qui est «tenu» raconte
une histoire. Dès qu'il
prononce le mot «araignée»
tout le monde doit
lâcher son doigt et
courir jusqu'à un
camp de refuge.
Celui qui est
rattrapé raconte
l'histoire.

«Je reconnais les
accents bordelais et
marseillais. Mes copines
disent toujours "heing"
au lieu de "heun". Les
Marseillais disent
"Comment ça vaô ?", en
traînant sur le a. Je
n'aime pas ces accents.
Je préfère le mien.»

Sa grand-mère, toute jeune, au Portugal

«Le théâtre, avec la
lecture, c'est ce que je
préfère. J'apprends à
l'atelier pour enfants du
"Théâtre en vrac". J'ai
joué le rôle principal du
Chaperon Rouge dans
une parodie
intitulée Le Petit
Chaperou Rouge fou.
Je n'avais pas du tout le
trac parce que je
connaissais bien mon
texte. Il me tarde de
recommencer.»

«Mes meilleures
vacances c'était au
Portugal, au camping
de Salir do Porto.
On était à 10 m de la
mer. Il y avait une
dune pour jouer
et se cacher.»

L'église de Carbon-Blanc

Simon

Simon est né le 23 mai 1985. «On me surnomme Géo Trouve-Tout. Ma maman me dit qu'à chaque fois qu'on perd quelque chose dans la maison, c'est grâce à moi qu'on le retrouve.» Il habite Niort, dans le Poitou. «Je voudrais être professeur de français, j'aime beaucoup les enfants. Le plus important pour moi, c'est de bien vivre, de ne pas gâcher ma vie.»

LA «VENISE VERTE»

Niort (57 000 habitants) est une ville aux portes du Marais poitevin, traversée par une rivière, la Sèvre Niortaise. Le Marais est un ancien golfe marin, peu à peu recouvert de terre ; les moines au Moyen Âge, puis les ingénieurs d'Henri IV l'ont asséché en faisant creuser des canaux. C'est aujourd'hui un magnifique lieu de promenade.

Le week-end se passe en famille : ses parents sont invités ou reçoivent des amis. Ils emmènent aussi leurs enfants en balade. «J'adore le dimanche, c'est le jour de repos.»

«Dans la région, les maisons sont recouvertes de tuiles ou d'ardoises. J'aimerais bien vivre dans une ferme "rénovée".»

«J'ai sept cousins, tous plus petits. On se voit aux réunions familiales : à Noël, à Pâques ou le dimanche. Je vois mes grands-parents régulièrement et je vais parfois passer des vacances seul chez eux.»

Son frère aîné, Jean-Baptiste, a 14 ans.

Sa mère est infirmière.

Son père travaille dans une banque.

Son petit frère, Pierre, a 7 ans.

Simon

CHEZ LUI

Simon habite dans une grande maison neuve. «Il y a de la place.» Dans son jardin, il s'entraîne au ping-pong avec son frère : ce dernier est d'ailleurs inscrit dans un club.

SA CHAMBRE

«J'ai une chambre pour moi, j'ai des BD, un synthétiseur, une chaîne hi-fi. À côté de ma chambre, il y a une "pré-chambre" qui sert de bibliothèque et où se trouve l'ordinateur.» Simon l'a décorée avec des posters de tennis. «Sur une poutre, j'ai mis des petits objets : des personnages de Tintin en porcelaine, des chevaliers en ferraille, des pharaons en plâtre, une tour Eiffel, un Indien en porcelaine.»

Les grands-parents maternels de Simon habitent à La Crèche, une petite ville près de Niort ; les autres vivent à Revel, dans le département de la Haute-Garonne. Le père de Simon est originaire du Maine-et-Loire, sa maman de Bressuire, dans les Deux-Sèvres.

Simon aime bien jouer aux échecs avec ses amis ou avec son père et son frère aîné.

Simon aime lire des BD et des romans policiers, surtout le soir.

«Mon paysage préféré : un endroit d'où on a une vue sur Niort. On voit les clochers de la ville.»

Simon est un grand constructeur de Lego.

LE POITEVIN

Simon ne connaît pas le poitevin, une langue régionale quasiment disparue. Du côté de sa grand-mère, dans le Midi, il a repéré «l'accent des Pyrénées». «Là-bas, quand on fait des dictées, c'est plus facile. Ils prononcent toutes les lettres.»

LA RELIGION

«Je suis catholique. Je crois en Dieu, car après la mort, il y a une autre vie.» Simon va au caté dans son collège, pour découvrir «la vie de Jésus et celle des prophètes». Ses parents sont croyants.

SA FAMILLE

«J'habite chez mes parents. J'ai deux frères : Jean-Baptiste et Pierre. Je joue avec eux au foot et à des jeux de société. Mon frère aîné m'ouvre la voie. S'il réussit ou s'il rate quelque chose, je sais à quoi m'en tenir. Ça m'évite de faire les mêmes erreurs.»

Simon

Simon se sent français plus que poitevin. «*La France, c'est un pays d'Europe assez riche. Ailleurs, il y a toujours quelque chose qui "cloche", comme les guerres, par exemple. Sinon, j'aimerais habiter dans le Midi, avec le soleil et la montagne pas loin.*»

Simon collectionne les timbres et les porte-clés.

Simon va au club de tennis deux fois par semaine.

C'est lui qui choisit les habits, mais c'est sa mère qui décide. Il s'habille de la même manière à l'école et en vacances. «Quand il y a des invités, je mets mes plus beaux habits. Ma tenue préférée : le bermuda.»

LES REPAS
L'été, Simon aime le melon, l'hiver, le potage. Son plat préféré est sans hésitation la fondue savoyarde ; son dessert, les glaces. De toute façon, il aime les friandises sucrées. «Je suis assez gourmand», confesse-t-il.

Le melon est cultivé dans le Marais.

Simon mange souvent et aime le tourteau fromager, spécifiquement poitevin. Ce gâteau fabriqué jadis avec du fromage de chèvre se fait aujourd'hui avec du lait de vache. On le reconnaît à sa croûte noire très caractéristique.

LE PIANO
Simon a commencé à jouer du piano à l'âge de six ans. Il prend des cours à l'école de musique une fois par semaine. Avec le synthétiseur qu'il a dans sa chambre, il improvise des morceaux de musique et passe beaucoup de temps à s'amuser.

Promenade en famille au marché de Niort, au rayon fromages. Le chabichou, fromage de chèvre, est d'ailleurs une spécialité poitevine.

LES AMIS
Simon a deux amis du même âge que lui, Guillaume et Fabien, qu'il a connus à l'école primaire. Ils s'invitent souvent. «On s'entend bien. Je continue d'aller au collège avec Guillaume. Je vais à l'école de musique avec Fabien. On joue à l'ordinateur, aux jeux de société, au foot, au ping-pong.» Il y a aussi Christopher, son ami anglais, qu'il invite chez lui pour les vacances.

LES VACANCES
S'il préfère les vacances, Simon trouve tout de même qu'«à l'école, on est sûr de ne pas s'ennuyer». Il va régulièrement en Vendée et cette année il part en Angleterre.

Simon possède de nombreux ouvrages sur l'Égypte, qui le passionne.

L'ÉCOLE
Simon est inscrit dans un collège privé de Niort. Le matin, c'est la maman d'un copain qui l'y emmène. Pendant la récré, il joue au foot, au «loup», au ping-pong, ou se rend à la bibliothèque. Une année, il est allé en classe verte en Bretagne.

Simon et Christopher jouent ensemble à des jeux de société.

Fabien

«Je m'appelle Fabien, j'ai 9 ans. J'habite à Marennes, en Charente-Maritime. Mon rêve est d'être milliardaire. Ce qui est important, c'est de réussir son métier, de gagner de l'argent. Plus tard, je voudrais devenir conducteur de paquebot parce que j'aime bien les gros bateaux, j'adore l'eau. La mer, je suis tout le temps dedans.»

MARENNES-OLÉRON

La ville est bâtie au bord de la mer, à l'embouchure de la Seudre. Les maisons traditionnelles, vastes, sont bâties en pierres grises. Il y a aussi les cabanes de pêcheurs, en bois, que l'on trouve dans les ports ostréicoles. «La moitié de la cabane est sur la terre, et des piquets tiennent l'autre moitié sur l'eau.»

«Mes parents sont ostréiculteurs. Ils élèvent leur production d'huîtres et de moules dans le bassin de Marennes. Papa pêche, maman trie les huîtres. On possède un bateau plat en alu avec lequel on va dans les parcs à huîtres.»

Ses parents sont nés tout près de Marennes, et sont restés sur place depuis.

Son père est ostréiculteur, c'est-à-dire qu'il élève des huîtres.

Raphaël, son frère, a 14 ans.

Sa mère

Fabien

SA FAMILLE

Fabien vit avec ses parents et son frère. «Je joue de temps en temps au ballon, à la raquette avec lui, mais je joue surtout avec mes copains. On ne s'entend pas très, très bien, ça dépend des jours. Il me donne un nom que je n'aime pas "Big Louche". Je ne sais pas trop d'où ça vient, je préfère qu'on m'appelle par mon prénom.»

La barque de Fabien

L'OSTRÉICULTURE

Ce métier intéresse énormément Fabien, qui aime les bateaux et la mer. Ainsi va-t-il souvent sur l'exploitation familiale pour aider ses parents. Il est équipé de cuissardes et beaucoup l'admirent lorsqu'il marche dans la vase. Le samedi, parfois, quand ses parents vont au marché, il les accompagne. Le dimanche, ils vont ensemble à la marée surveiller les huîtres et les moules.

Un plat d'huîtres

SES GRANDS-PARENTS MATERNELS

Fabien les voit presque tous les jours : ils habitent à Boucefranc-le-Chapus, juste à côté de Marennes. «Avec mon papi, je fais du jardinage, avec mami de la cuisine. Quand maman va au marché vendre les huîtres et les moules, le samedi, je dors chez eux.»

«Mon grand-père, le papa de ma maman, est venu de Bretagne avec son frère. Il a fait plusieurs métiers. D'abord, dans la boulangerie, puis dans les huîtres. Il est venu à Marennes-Oléron et il a travaillé jusqu'à 60 ans.»

Son papi lui montre comment faire les nœuds marins.

LE FORT LOUVOIS

Pour Fabien, le monument de sa région à ne pas manquer, c'est le fort Louvois, situé entre le port du Chapus et l'île d'Oléron. «C'est Louis XIV qui l'a fait construire. C'est beau comme le fort Boyard.»

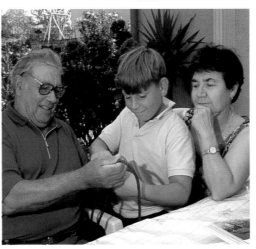

IGNACE, LA CHIENNE

«Ignace, c'est un setter tacheté. Elle est drôlement belle !» Quand ses parents ne sont pas là, il reste avec elle. «Quand elle a été malade, j'ai pris sa niche, et je l'ai mise à côté de moi.»

Quelques expressions
charentaises.
Je fais 4 h : je prends mon
goûter.
Baignassoute : estivan,
vacancier.
I est rendu : il est arrivé.
La débauche : la fin du travail.
Le cheun : le chien.
Fabien utilise fréquemment
ces expressions, surtout
baignassoutes» pour
désigner les touristes de
passage à Marennes. «Quand
les copains n'ont pas
des parents
pêcheurs-
ostréiculteurs,
on ne parle
pas comme
ça.»

Fabien

Aurélien et
Fabien pêchent le
crabe à la
balance.

❝ *Mes parents ne veulent pas
que je devienne ostréiculteur, mais
ça ne me dérange pas. En fait,
j'aimerais bien m'occuper soit des huîtres,
soit des moules mais pas des deux à la fois,
c'est trop difficile.* **❞**

LES COPAINS

Parmi ses copains d'école, c'est Aurélien que
Fabien voit le plus souvent. Ils se sont connus à la
maternelle, et ont fait du football ensemble. «Il est
du même âge que moi.» Ils jouent aux Playmobil,
aux Lego et font des cabanes dans le jardin de
l'un ou de l'autre en clouant des planches ou des
palettes récupérées. «Après, papa n'a plus de
pointes !»

Les Playmobil et les Lego de
Fabien

SON ÉCOLE

Fabien va à l'école de
Marennes, une grande
bâtisse ancienne, qui
abrite une dizaine de
classes. Dans la sienne,
ils sont environ vingt-
cinq. «De nombreuses
sorties sont organisées
dans ma région, afin de
découvrir la nature ou
de faire du vélo. On
apprend plus comme
ça que quand on est en
classe !» Fabien n'aime
pas trop l'école.
D'ailleurs ses jours
préférés sont le samedi
et le mardi, parce qu'il
n'y a pas classe le
lendemain.

LES VACANCES

Fabien ne part
quasiment jamais en
vacances, mais il ne
s'ennuie pas pour
autant. Il passe son
temps à pêcher des
coques et des palourdes,
seul ou avec son grand-
père. Il va souvent se
promener dans la région
avec ses parents : «On va
visiter La Rochelle, Jonzac
ou on part en forêt.»

Fabien dans sa
tenue de judo

À TABLE

Chez les Foucher, on
mange très souvent des
huîtres et des moules.
C'est d'ailleurs la
spécialité locale. Il y a
aussi le pineau des
Charentes mais Fabien
n'en boit pas. «D'un
côté, tu as la mer, de
l'autre, la campagne. Il y
a différentes spécialités
selon les lieux.»

Fabien joue   Un dessin de
du saxo.   Fabien

Sur son étagère, dans sa
chambre, il a installé deux
maquettes de bateaux que
son grand-père a construites,
et qu'il lui a offertes.

*Je suis catholique.
Je pense que Dieu
me protège. C'est
quelqu'un de célèbre.»

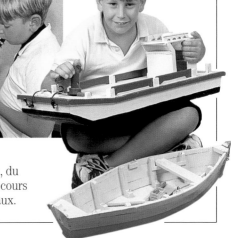

Fabien a fait du football
pendant trois ans puis a
arrêté pour suivre des
cours de judo. «Je suis
ceinture blanche».

SES LOISIRS

Fabien est très occupé : il fait du judo, du
saxophone et, le mercredi, prend des cours
de peinture. Il peint surtout des bateaux.

La cathédrale Notre-Dame domine la ville.

Jéhan

«Je m'appelle Jéhan et j'ai 10 ans. J'habite dans le Massif central, à Clermont-Ferrand, dans un appartement pas très vaste avec mes parents, mes trois frères et sœur et mon chien Arthur. Plus tard, je voudrais être vétérinaire dans un zoo parce que j'aime beaucoup les animaux. Sinon, j'aimerais bien habiter une grande maison avec un jardin.»

CLERMONT-FERRAND

CLERMONT-FERRAND

Clermont-Ferrand est la capitale régionale de l'Auvergne. Elle doit son développement à l'industrie du caoutchouc et est surtout connue, aujourd'hui, comme la «ville du pneu» grâce aux établissements Michelin, le plus gros employeur de la région. À la sortie de la ville commence le Parc naturel régional des volcans.

«J'aime bien aller à la campagne, mais je préfère la ville parce que c'est beaucoup plus pratique pour aller à l'école et faire ses courses.»

MARCHE AU MILIEU DES VOLCANS

Tout au long de l'année, la famille de Jéhan fait de la randonnée le week-end, dans la chaîne des Puys, le plus grand ensemble volcanique d'Europe, juste à la sortie de la ville.

SA FAMILLE

Le père de Jéhan est un «bib», il travaille chez «M. Bibendum», c'est-à-dire l'usine Michelin, où il fabrique des pièces textiles pour les pneus. Sa maman est assistante maternelle ; elle s'occupe de Julien et d'Andréa qui partagent la vie de la famille depuis qu'ils sont tout petits. Jéhan et son frère Dorian les considèrent comme leur frère et leur sœur.

Sa mère

Son père

Andréa a 5 ans.

Dorian a 6 ans.

Julien a 7 ans.

Jéhan

«Je n'aime pas les jeans, je préfère les pantalons de "survêt" avec des pressions sur le côté, les tee-shirts et les sweats. E. je ne mets jamais de pul· en laine parce que ça gratte.»

ROLLER EN FAMILLE

Jéhan aime se promene· dans la nature mais la marche l'ennuie vite. Alors parfois il choisit avec ses parents un moyen de locomotion plus drôle : ils partent tous ensemble faire du roller jusqu'à Jaude, le centre commercial du centre-ville !

LES ANIMAUX

Il y a toujours eu des animaux de compagnie chez Jéhan. Quand il était tout petit, il a eu un gros chien noir, Snoopy, avec qui il a beaucoup joué, puis un cobaye. Depuis un an et demi, ses parents ont un boxer, Arthur, tout fou, qui fait beaucoup rire les enfants.

Arthur le boxer

Les «bananes»

MICHELIN

Jéhan aperçoit par la fenêtre les «bananes» des usines Michelin, ces grandes pistes en arc de cercle où sont essayés les pneus, ainsi que le toit des cités Michelin, des petites maisons habitées par les ouvriers de l'entreprise. Dans son quartier, une personne sur trois travaille chez Michelin qui emploie 14 000 salariés.

«J'aime bien les jeux à plusieurs mais je déteste le foot, comme mon père. Mon sport préféré, c'est le karaté. J'en fais au Stade Clermontois depuis trois ans, et je suis ceinture orange-verte. Je fais aussi de la natation à la piscine de Clermont.»

Jéhan

« Dans la famille de Jéhan, il y a un code pour passer à table. Un coup de sifflet et tout le monde arrive. «Un jour, un copain se demandait ce que c'était, il a sifflé et tout le monde est venu à la queue leu leu dans la cuisine… mais on était en plein après-midi ! »

Jéhan a une chambre pour lui tout seul… mais il préfère être au salon !

Sa collection de pin's

Depuis qu'il est tout petit, Jéhan ne peut pas s'endormir sans Toto, sa luciole, qui s'éclaire dans l'obscurité.

Il aime plusieurs fromages d'Auvergne tel le saint-nectaire (comme ici) et le savaron, mais il déteste le cantal.

Jéhan a gagné plusieurs coupes et médailles de karaté et de natation.

Loren, sa fiancée

À TABLE

La maman de Jéhan n'est pas une grande cuisinière. De toute façon, Jéhan préfère les frites, surtout celles des fast-foods et adore aller manger au restaurant chinois des nems et des raviolis aux champignons noirs. Chez ses grands-parents, Jéhan mange parfois du pâté aux pommes de terre, une spécialité bourbonnaise qu'il apprécie beaucoup.

SON ÉCOLE

Jéhan est en CM2 à l'école Jean-Butez. «Maman m'accompagne toujours un petit bout de chemin. Mes matières préférées sont les sciences et les maths. L'an dernier, on a étudié les volcans et les plantes.»

SA «FIANCÉE»

Loren et Jéhan sont nés le même jour à une heure d'écart dans la même maternité et leurs parents ont sympathisé. Depuis, ils se voient régulièrement et écoutent ensemble de la musique, même si Lauren n'a pas toujours les mêmes goûts que Jéhan.

«Je n'aime pas le français mais j'adore lire. Une fois par mois, je vais à la bibliothèque. Mes livres préférés sont les bandes dessinées et les histoires qui me donnent des frissons le soir avant de m'endormir.»

La robe rousse des vaches
limousines est très
reconnaissable.

Jean-Louis

«Je m'appelle Jean-Louis et j'ai 12 ans. J'habite en Corrèze à Albussac, un endroit très beau et très vert où il y a plein de prés, de forêts et d'étangs, dans une grande maison, avec mes parents et mes sœurs, nos deux chiens, Samy et Léo, et nos deux chats, Titi et Max.» Jean-Louis est un vrai bricoleur : «J'aime bien savoir surtout comment ça marche, alors que ce soit la mobylette ou la carabine, je démonte et je remonte et je répare tout moi-même.»

LA CORRÈZE
Jean-Louis habite le hameau de Bros-Hauts qui dépend d'Albussac, un petit village très étendu et vallonné qui compte 739 habitants, presque tous agriculteurs. C'est à 20 km de Tulle, la préfecture de la Corrèze, et à une trentaine de kilomètres de Brive-la-Gaillarde, la ville la plus importante du département.

SA FAMILLE
Jean-Louis habite avec ses parents et ses deux sœurs, Béatrice (14 ans) et Élisabeth. Il a également trois demi-frères et sœurs nés du premier mariage de sa maman ; ils sont aujourd'hui mariés et ont des enfants. Les parents de Jean-Louis sont agriculteurs, ils exploitent 16 ha de terres situés en contrebas de leur maison.

Sa sœur aînée,
Élisabeth,
a 15 ans.

Sa maman cultive du tabac qu'elle va vendre une fois par an, en hiver, à la Seita, à Brive.

Son papa s'occupe d'une vingtaine de vaches limousines pour faire du veau de lait élevé sous la mère, particulièrement réputé pour la qualité de sa viande.

La toiture est en lauzes, de longues pierres plates et sombres.

Jean-Louis

SA MAISON
Elle est du type traditionnel de la région, en pierres claires couvertes de lauzes. Tout autour de la maison se trouve l'exploitation agricole avec les bâtiments pour le matériel et l'étable. Depuis sa maison qui domine une vallée, Jean-Louis a une très belle vue sur toute la campagne environnante.

«Je préfère habiter à la campagne parce qu'il y a moins d'interdits qu'en ville, c'est moins dangereux, on fait ce qu'on veut et c'est plus calme.»

Dans le champ de
tabac, avec ses parents

SES GRANDS-PARENTS PATERNELS
Ils vivent dans la même maison que Jean-Louis : elle a été divisée quand leur fils s'est marié, suivant la tradition qui veut que le fils qui reprend la propriété garde ses parents chez lui.

Dans l'étable,
avec les vaches
de son père

«J'aide souvent mes parents à passer le tracteur. Je sais le conduire depuis que j'ai 8 ans. Je laboure avec la charrue, puis je plante le tabac et je le coupe avec le motoculteur.»

Jean-Louis

La maman de Jean-Louis n'a pas eu le temps d'arriver à la maternité pour accoucher. Jean-Louis est né dans la voiture devant la gare de Tulle, en plein embouteillage, à 18 heures ! Les motards sont ensuite arrivés pour les escorter jusqu'à l'hôpital…

Ses endroits préférés : la table d'orientation du Roche-de-Vic et les cascades de Murel.

EXCURSIONS

Jean-Louis ne part pas en vacances avec ses parents parce que son père ne peut pas laisser les vaches. Il va parfois avec sa mère voir ses demi-frères et sœurs et séjourne chez eux plusieurs jours. Jean-Louis profite donc du week-end pour se promener avec ses parents dans la région.

Le plat régional que Jean-Louis préfère, c'est le miassou, des pommes de terre râpées et frites comme des crêpes.

SA MOBYLETTE

Quand il ne va pas à l'école, Jean-Louis reste chez lui. Il a toujours quelque chose à faire. Il adore bricoler et réparer sa mobylette orange pour rejoindre ses copains dans les bois. «Le vélo ici, c'est trop dur, ça monte et ça descend tout le temps. Je prends ma mobylette et je fais du cross dans les chemins de terre.»

GASTRONOMIE LIMOUSINE

Jean-Louis aime bien les spécialités régionales que fait sa mère : la mique, une sorte de pain cuit dans un torchon, le tourtou à base de farine de blé noir, qui se mange avec les viandes en sauce, les farces dures – des pommes de terre râpées et jetées dans l'eau bouillante.

«Cette année, je vais suivre les cours de la prévention routière pour pouvoir conduire ma mobylette, mais je devrai attendre d'avoir 14 ans pour aller sur la route.»

Jean-Louis aime aller se balader tout seul dans la campagne et pêcher dans les étangs et les ruisseaux près de chez lui pour attraper des carpes et des truites.

L'un de ses passe-temps favoris est le tir à la carabine. Il s'est aménagé un talus et des cibles et s'entraîne en attendant d'avoir l'âge de chasser avec son père.

SES COPAINS

Depuis qu'il est au collège, Jean-Louis a perdu de vue ses copains du primaire qui étaient au regroupement pédagogique avec lui. Fabien est celui qu'il voit le plus souvent car il n'habite pas loin, et ils font ensemble de la mobylette. Il a rencontré cette année Éric, un petit Parisien qui habite maintenant ici, et aussi Christophe qui est de Saint-Privat.

Son pistolet à plomb

L'ÉCOLE

Depuis l'an dernier, Jean-Louis a rejoint ses sœurs dans une institution privée à Argentat, qui permet d'aller de la 6e à la terminale sans changer d'établissement. Chaque matin, il se lève à 6 heures et prend le car du ramassage scolaire qui met 45 minutes pour arriver : les routes sont étroites et le car doit aller chercher des enfants dans des hameaux très isolés.

Jean-Louis s'est acheté ce couteau quand il est allé avec son école faire un voyage à Rocamadour et au gouffre de Padirac.

Son Opinel

Quand il doit rester à l'intérieur, Jean-Louis joue avec ses voitures télécommandées ou regarde des vidéos de films d'action.

Une de ses voitures télécommandées

Jérémie

Jérémie, que ses copains surnomment Jéjé et ses parents Mimi, a 10 ans. «J'habite Corcelles-les-Arts, une petite commune de 450 habitants qui se trouve en Bourgogne, plus précisément en Côte-d'Or, entre Chalon-sur-Saône et Dijon. Pour plus tard, j'hésite encore entre devenir footballeur ou professeur de gymnastique.»

CORCELLES-LES-ARTS

LA BOURGOGNE

Corcelles-les-Arts se trouve à une douzaine de kilomètres de Beaune et près de villages aux noms célèbres : Meursault, Puligny-Montrachet (prononcer Monrachet). C'est un terroir renommé pour son vignoble ; les vieilles maisons de la région, couvertes de tuiles, possèdent toutes un étage avec des escaliers extérieurs et une cave bien fraîche pour le vin.

«J'ai cinq cousins du côté de maman et deux cousines, mais aussi dix cousins et cousines du côté de papa. Je m'entends bien avec l'un d'entre eux : Camille. Il a six mois de moins que moi. Maintenant il habite Paris. Avant, il vivait à Dijon. On se voit aux grandes vacances. On joue au foot, aux petits soldats, au Monopoly ou aux Lego.»

SA FAMILLE

Jérémie vit avec ses parents, ses deux frères et sa petite sœur Marie, qui passe en CE1. Seuls ses grands-parents maternels vivent encore. «Il y a papi Michel, un ancien prof de gym qui a 75 ans, et mamie Jeannette, qui a 73 ans.»

Vincent, 18 ans, est en classe préparatoire.

Guillaume entre en 3ᵉ.

Jérémie

Patrick, viticulteur sur la côte de Beaune, est âgé de 46 ans.

Brigitte, âgée de 42 ans, est professeur de physique et de mathématiques à Beaune.

«Je joue avec mes frères et ma sœur. Je me bats avec Marie et Guillaume. On fait des grimaces. Plus tard, je voudrais être comme mon grand frère Vincent. Il a les cheveux en bataille et colorés. J'aimerais bien être aussi grand que lui. Cette année, je le vois peu, il est interne et ne rentre pas tous les week-ends.»

Cette drôle de machine à vapeur est un ancien jouet de son frère que Jérémie aime beaucoup faire fonctionner.

«Je ne connais pas trop les vins, je ne les goûte pas encore, mais je sais que nous produisons plusieurs appellations : auxey-duresses, puligny-montrachet, meursault, pommard et bourgogne aligoté. Mais, au moment des vendanges, je bois du vin doux (du jus de raisin) et du vin bourru (jus de raisin qui commence juste à fermenter).»

DANS LA VIGNE

«De temps en temps, je travaille un peu dans les vignes. Je vendange en septembre le week-end, et, à la fin de l'hiver, j'attache les branches. Quelquefois, au printemps et en été, je rogne : je coupe les parties de la vigne qui dépassent. Et en hiver, on fait des feux de sarments.» Les sarments, après avoir été coupés, sont brûlés dans une brouette en ferraille fabriquée à partir d'un vieux bidon, et stationnée au milieu des rangs. Au fur et à mesure que le vigneron avance avec la brouette, les cendres tombent sur le sol et participent à la fertilisation.

SON ARBRE GÉNÉALOGIQUE

Du côté de sa grand-mère paternelle, il remonte au XVIᵉ siècle ! Un de ses ancêtres était déjà laboureur en Bourgogne. Au XVIIIᵉ siècle, un autre aïeul possédait 12 ouvrées de vignes : l'ouvrée, unité de mesure viticole, représentait le travail d'une journée.

«Le paysage que je préfère, c'est le coucher de soleil sur les vignes au-dessus de Pommard.»

LES FÊTES

Jérémie a déjà assisté à la grande fête des vignerons, la Saint-Vincent tournante qui se déroule le troisième week-end de janvier. Chaque année, le village qui accueille la Saint-Vincent tournante est différent. Le matin, les vignerons défilent après s'être retrouvés à l'aube.

Jérémie et sa petite sœur Marie

« J'ai assisté à l'arrivée [d]u Tour de France à [D]ijon avec papi et [m]amille. Il y avait [R]ichard Virenque. »

La télé, je la regarde le [s]oir quand je peux [v]eiller. Je regarde les [M]inikeums, "Téléfoot" [et] les matchs quand je [n']ai pas classe le [l]endemain, ou ["I]nterville" pendant [l]es vacances. »

« Je suis abonné à J'aime lire, à la bibliothèque de l'école et à celle de Beaune. Comme BD, je lis les aventures d'Astérix, le soir avant de me coucher, en écoutant de la musique. »

Jérémie

« Mon grand-père me donne des conseils pour le football. Il m'emmène à la piscine ou alors on bricole. Parfois on joue aux cartes. C'est chez lui que je me suis fait mal à la jambe. Mon pied s'est coincé sous la pédale de mon vélo et j'ai eu une entorse. »

CHEZ LUI

Sa maison est à moitié neuve, une partie servait autrefois d'écurie. Jérémie aime beaucoup sa chambre et celle de son grand frère. «J'ai accroché l'écharpe du club d'Auxerre et trois posters : celui du système solaire, un voilier et des orques. Sur tout un mur j'ai des photos de mes copains et de mes cousins.»

À TABLE

Parmi les plats régionaux comme les escargots de Bourgogne, le bœuf bourguignon, le jambon persillé ou la fondue bourguignonne, celui que Jérémie préfère, ce sont les œufs en meurette. «J'aime bien le chocolat blanc, la crème anglaise, les glaces. J'aime aussi le fromage de chèvre bien sec.»

«Pendant les vacances, on va souvent à la montagne. On prend la tente et on va camper.»

Les œufs en meurette sont des œufs pochés avec une sauce à base de vin.

SES COPAINS

Jérémie a quatre bons copains qui vivent dans le même village ou dans les bourgs voisins : Théo, Aurélien, Michael et Damien. «On s'appelle et on joue dans le village.

Sa photo de classe

LE FOOT

[J]érémie est un passionné [d]e foot. Il s'entraîne deux [h]eures par semaine, une [h]eure le mercredi et une [h]eure le vendredi. [L]es matchs ont lieu le samedi [à] 13 h 45.«Je joue milieu [o]ffensif au club de Meursault. [A]vant, j'avais signé à l'OM, [O]lympique de Merceuil. [M]es joueurs préférés sont [T]hierry Henri et Lilian [L]aslande. Il a longtemps [jo]ué à Auxerre.»

SON ÉCOLE

Jérémie prend le bus à 8 h 30. Le ramassage scolaire s'effectue en minibus : il prend les enfants à Tailly, Corcelles, Masse et Ébaty. Son école date du début du siècle. «J'étais en CM1 à Bligny-lès-Beaune et je serai en CM2 à Ébaty.» Il avoue préférer l'histoire et les maths à la dictée qu'il déteste.

On fait des jeux de société, des courses en vélo. Souvent on se retrouve chez moi. Théo et moi, on a construit dans le jardin, entre quatre arbres, une cabane avec des palettes.»

Julien

«Je vais avoir 11 ans en septembre et je vais entrer en 6ᵉ. Plus tard, je voudrais être paléontologue : c'est quelqu'un qui fait des fouilles sur un terrain. Par exemple, on peut trouver des os fossiles de dinosaure. Quand j'étais plus petit, je voulais être cosmonaute ! Plus tard, je me vois bien voyageant pour mon métier, mais habitant à la campagne. Si j'avais à choisir entre paléontologue et la campagne, je choisirais la campagne.»

VERNOU-SUR-BRENNE

DES CAVES TROGLODYTES

Les maisons troglodytes ne sont pas rares dans la vallée de la Loire. Elles sont creusées dans le tuffeau, une roche calcaire blanche très douce : c'est le cas des caves du père de Julien.

«Je vis avec mes parents, ma sœur Lucie, 18 ans, qui est à la fac et ne revient que le week-end, et ma sœur aînée Suzanne, 20 ans. Elle est jeune fille au pair en Angleterre.»

Son père, François, a 46 ans.

Julien

Sa mère, Odile, est d'origine bretonne. Elle a 49 ans.

Ses sœurs étaient absentes le jour de la photo.

Julien se promène dans les vignes de son père.

«La spécialité de la région, c'est le vin. J'en bois. Enfin je goûte… Celui que je préfère c'est le Moelleux 1990, la "goutte d'or" de mon père. J'aime bien aussi le vouvray 1947. Mais j'en goûte moins souvent.»

SA MAISON

Julien habite dans la vallée de la Cousse, sur la commune de Vernou, en Touraine, à quelques kilomètres de la Loire. «Je vis à la campagne, à côté d'un bois et d'un ruisseau. On est entourés de vignes : celles de papa et de ses collègues. J'aime bien ma maison, parce qu'elle a presque cent ans. Je préfère ça à une maison moderne. Il y a des cheminées, des caves.»

«Ma mère fait des plats en sauce. J'aime surtout le porc en sauce avec des pommes de terre et du curry. Les pommes de terre sautées aussi. Et comme dessert, la charlotte aux framboises.»

SA FAMILLE

Son père a été psychanalyste avant de reprendre, il y a douze ans, l'exploitation viticole de son père. Sa mère était professeur de travaux manuels dans un collège de Tours, avant de venir aider son mari sur l'exploitation.

Ses grands-parents paternels habitent dans le même village, au bout de la rue. Comme il n'y a pas la télé chez lui, Julien va chez eux quand il veut voir un film.

Claude, son grand-père paternel

Simone, sa grand-mère paternelle

Julien

«Chez mon grand-père, au bout de la rue, j'ai un passage secret entre les grandes cuves à vin.»

Son père est un vigneron réputé de l'aire d'appellation d'origine contrôlée vouvray.

«J'ai mes deux grands-pères, mes deux grands-mères, et même une arrière-grand-mère. Ma mémère Louise, qui habite Chartres avec pépère Jean (mais ils ont une maison en Bretagne où ils vont tout l'été), vient aussi coucher à la maison, parfois pour une semaine.»

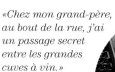

Son arrière-grand-mère Agnès

Julien a encore une arrière-grand-mère, sa mémère Agnès. Elle a 95 ans ! Elle habite également dans la vallée de la Cousse. «C'est elle qui réussit le mieux le soufflé au poisson.»

Julien

« J'ai trouvé des fossiles quand la terre s'est effondrée sur notre chais il y a quelques années. Mais j'avais déjà l'idée d'être paléontologue avant de les avoir. »

J'aime bien mon prénom. Une fille de mon école m'appelle Juju. C'est gentil, mais je préfère qu'on m'appelle Julien. »

SON ÉCOLE

C'est la dernière école de hameau du département. «Elle a plus de cent ans. On est dix en CM2. C'est encore trop, je trouve. L'an dernier, en CM2, ils étaient trois et en CM1, ils sont quatre.»

«Ma chambre est assez petite, mais je l'aime bien quand même. J'ai suspendu un mobile de pieuvre au plafond. C'est assez chouette. Et j'ai mes maquettes : une maison hantée et un temple d'Indiens, un temple perdu. C'est assez dur à construire.»

«Dans mon jardin, j'ai installé une mare, que j'ai creusée avec mon père, parce que je voulais installer un écosystème, avec des insectes et des tritons. Mais l'orage a noyé mes quinze araignées d'eau. En plus, on a mis des poissons qu'on avait pêchés dans un bras de la Loire avec papa. Mais c'était des poissons-chats et ils ont mangé les insectes. C'est une bêtise. Je n'en remettrai plus…»

Julien fait collection de timbres et de pin's. Il a recouvert un de ses pulls de tous ses pin's !

«J'ai un poster de dinosaure en relief dans ma chambre et je suis allé voir Jurassic Park. J'ai aussi lu le livre.»

LA FÊTE DE COUSSE

«Chaque année, il y a la fête, à côté du hangar de mon grand-père. Depuis trois ans, j'y chante toujours la même chanson : c'est La Môme catch-catch. "Je bois du gros qui tache. Voyez mes gros biscotos…"» Après le concours de boules, tout le monde se retrouve pour un grand repas.

LES LOISIRS

Julien a beaucoup de loisirs : le judo, le vélo et le foot avec les copains, la musique (il fait de la clarinette à l'école de musique de Vernou) et enfin la pêche. Souvent, il va le long de la Loire, observer les mouettes avec son père.

LES AMIS

«Mon copain préféré, c'est Pierre-Antoine. Il a dans les 16 ans, il m'explique ce qu'il trouve. Avec les autres copains, on fait des tours à vélo ou à pied dans la vallée. Je leur montre des endroits qu'ils ne connaissent pas. On joue au football à la récré.» Sinon, il y a les cousins, qu'il voit souvent, comme Catherine, sur la photo.

La collection de fossiles de Julien

Thibaud

Thibaud a eu 11 ans le 22 juin 1997, le jour même de la kermesse de l'école. Il connaît parfaitement ses mensurations : 1,35 m, 28,5 kg. «J'ai des cicatrices un peu partout. La dernière, sous le menton, c'est quand j'ai voulu descendre le toboggan la tête en avant. Ça a fait un drôle de choc au niveau de mon cou. L'autre cicatrice au genou, c'est en vélo. Toutes les autres au front, au coude et là sur ma jambe, c'est au foot. Plus tard, je crois que je serai vétérinaire, j'adore les animaux.»

SA VILLE

Romorantin (18 860 habitants), est la capitale de la Sologne. Depuis plus de trente ans, la ville attire beaucoup de gens qui viennent de la campagne où le travail est devenu rare. Thibaud s'y sent bien : «C'est une petite ville avec tous les avantages de la campagne, la nature et le grand air.»

Vanessa, sa sœur, a 17 ans. Elle pratique surtout l'athlétisme.

Thibaud

Sa grand-mère maternelle

Sa mère, Danielle, a 41 ans.

Son grand-père maternel a été le premier policier municipal de Romorantin. «Il a aussi été pompier», dit Thibaud, très fier de son grand-père.

Son père, Jean-Paul, a 46 ans. Il est éducateur bénévole de foot au district du Loir-et-Cher.

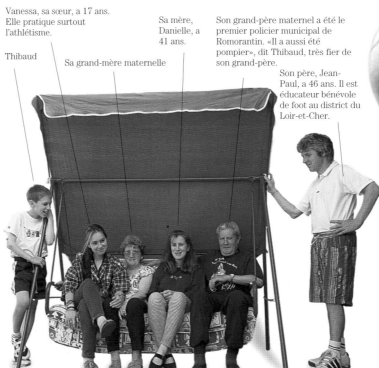

SA FAMILLE

Son père est outilleur chez Matra, le plus gros complexe industriel du Loir-et-Cher, où il est entré en 1973. Sa mère est agent qualité aux établissements Caillau, une grosse PME de Romorantin. Elle vérifie les colliers de serrage équipant les moteurs d'avion.

LA FORÊT

L'an dernier, quand son père avait encore le temps d'aller à la chasse, Thibaud aimait bien l'accompagner. Mais il restait jouer avec ses copains dans une cabane à la lisière de la forêt. Il adore les animaux et n'a pas envie d'en tuer ! Il préfère ramasser les champignons. Il sait d'ailleurs reconnaître l'amanite tue-mouches.

La forêt est à moins de 1 km de chez lui.

SON ARRIÈRE-GRAND-MÈRE

Thibaud a encore une arrière-grand-mère paternelle de 94 ans qui habite toujours à Anjouin dans l'Indre : «Pour ses 90 ans, on était plus de cinquante rien que du côté de papa.»

«J'aimerais bien devenir footballeur, mais j'ai peur de ne pas être assez fort pour faire carrière. Je voudrais habiter Nantes pour voir mon équipe en vrai. À la télé, ce n'est pas pareil.»

LA MAISON

C'est Moïse, le grand-père de la maman de Thibaud, chef cantonnier à Romorantin, qui a construit en 1932 la maison où ils habitent. À l'époque, elle se trouvait au milieu des vignes.

Sa maison ne ressemble pas aux fermes de Sologne avec leurs briques rouges et leurs tuiles plates, mais elle est très solide.

«On s'entend bien avec ma sœur, surtout quand on n'est pas longtemps ensemble. Au bout d'une demi-heure, ça tourne mal, elle veut toujours donner des ordres et moi je n'aime pas trop ça. Je vais rentrer en 6ᵉ, et elle passe en 1ʳᵉ. C'est normal qu'elle sache plus de choses que moi, mais de là à tout diriger… D'ailleurs, je suis plus fort qu'elle en foot.»

Thibaud s'habille le plus souvent possible en jogging et en baskets.

« Je ne m'ennuie jamais parce que je trouve toujours quelque chose à faire. Quand je n'ai plus d'idées, je monte dans ma chambre et je lis un peu, mais je ne suis pas du genre à rester enfermé trop longtemps, sauf chez mes grands-parents où je vais le mercredi. »

Lucie   Pauline
Eugénie

Julien est son cousin du côté de sa mère.

Thibaud fait du cheval chez ses cousines.

Paris me plaît bien. J'y ai été en voyage scolaire. On a vu de beaux monuments mais ça ne doit pas être rigolo tous les jours dans les embouteillages. Je préfère Nantes (à cause de l'équipe de foot)…»

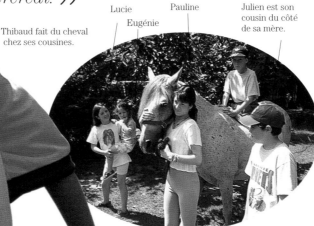

VIVE LES DESSERTS

Thibaud n'a pas de plats favori. Seuls les gâteaux le tiennent assis à table, les glaces d'abord et ensuite la tarte Tatin, grande spécialité de la Sologne.

Les demoiselles Tatin ont trouvé la recette de la tarte Tatin en renversant une tarte aux pommes qu'elles avaient fait cuire à l'envers !

LES COUSINS

«J'ai six cousines et trois cousins, dont Julien qui joue au foot dans mon équipe.» On le voit ici chez le frère de son père, qui a une petite propriété et des chevaux à Chailles, à une quarantaine de kilomètres de Romorantin.

La collection de médailles et de diplômes de foot de Thibaud qui est un fervent supporter de l'équipe de Nantes.

LA PASSION DE L'ÉCRAN

Thibaud aime également jouer avec la console vidéo. Mais son rêve, c'est de s'acheter un ordinateur. Depuis un an, il met de l'argent de côté. Il sait exactement ce qu'il veut : «Un modèle à six mille francs pour m'entraîner en grammaire et en orthographe. Je ferai aussi des exercices de maths… et quelques jeux…»

Thibaud vient de terminer deuxième de sa classe de CM2 à l'école privée Notre-Dame : «Je suis souvent puni surtout parce que je parle en classe, mais il faut de la discipline.» Ses parents ne se font pas de souci pour lui car il est très bon élève dans toutes les matières.

«J'aime Noël à cause de la naissance de Jésus et Pâques pour la résurrection.»

Voici l'Espace que le père de Thibaud vient d'acheter.

[F]OU DE FOOT

[L']activité que préfère [T]hibaud, c'est le foot. Depuis l'âge de 5 ans, [j']avais envie d'y jouer. [C]'est mon papa qui m'a [a]ppris dans l'équipe des [p]oussins. Maintenant je suis [a]ilier gauche chez les benjamins [e]t sans doute pas le meilleur de [S]aint-Roch City, mais j'adore ça.» [Il] s'entraîne tous les mercredis [e]t dispute un match chaque [s]amedi.

UN VRAI SPORTIF

Thibaud ne tient pas en place. Il faut tout le temps qu'il occupe ses doigts, ses pieds, sa tête. Tout lui plaît, le ski, l'hiver, les randonnées à pied en montagne, l'été – «j'aime mieux monter que descendre, c'est moins dangereux». Là, il part faire du VTT avec son père dans la forêt.

LA VILLE-CLOSE DE CONCARNEAU

Concarneau possède un port de pêche, un port de commerce, un port de plaisance, ainsi qu'une petite ville fortifiée à l'intérieur, une ancienne citadelle construite par Vauban et qu'on appelle la Ville-Close. L'endroit que Sébastien préfère, c'est la corniche nouvellement goudronnée où il peut faire du roller-skate et du vélo.

«Ma mère reste à la maison, elle s'occupe de nous, elle fait la cuisine, le ménage, les courses et la couture. Elle aime bien aussi les travaux manuels. Par exemple, elle fait des tableaux de nœuds marins.»

SES FRÈRES

Christophe étudie à l'école de pêche du Guilvinec. «Il est en pension, alors je ne le vois que le week-end et pendant les vacances. J'aime bien quand il rentre parce qu'il me défend contre Thomas.»

Sébastien

Sébastien est âgé de 10 ans. Il habite à Concarneau dans le Finistère, une ville très touristique en bord de mer. «Quand je serai grand, je serai marin-pêcheur sur le bateau de mon grand frère Christophe qui, lui, sera patron pêcheur comme mon père.» «Je viens d'aller à EuroDisney. J'aimerais maintenant connaître le parc Astérix, voir si c'est aussi bien. Je voudrais aussi aller en Afrique parce qu'il y fait chaud et qu'on peut y bronzer. Mais le plus important, pour moi, c'est la mer.»

«À Concarneau, les maisons sont souvent blanches avec un toit en ardoise.»

«Le samedi après-midi, j'aime bien aller jusqu'à Quimper parce que c'est une grande ville, il y a plein de monde et des grands magasins où on peut acheter plein de trucs, entre autres des cartes Magic.»

Christine, la mère de Sébastien

Joël, le père de Sébastien

Christophe, 15 ans

David a 4 ans.

Sébastien

Thomas, 13 ans

Toute la famille est réunie sur l'*Abraden*, le bateau de Joël. C'est un bateau en bois de 15 m de long. Son équipage comprend quatre hommes.

SA MAISON

Sébastien vit «dans une vieille grande maison de trois étages, le long de la corniche, avec vue directe sur la mer». Il y a un jardin, une cour où sont garés deux canots, deux planches à voile et deux garages, un pour la voiture, l'autre pour «le scooter de maman».

«Plus tard, j'aimerais vivre dans une maison comme celle de mes parents, c'est-à-dire une grande maison avec un étage, juste au bord de la mer.»

SES ANIMAUX

Chez Sébastien, il y a une perruche, des poissons rouges et un chien, Nounik, qu'il va parfois promener juste en face de sa maison et face à la mer. Le cochon d'Inde est le dernier venu dans la famille ; il s'appelle Poil de carotte.

Poil de carotte, le cochon d'Inde de Sébastien

LA FAMILLE DE SÉBASTIEN

Le père de Sébastien s'appelle Joël. Il est originaire de l'île de Sein, une île qui fait face à la pointe du Raz. Il est patron pêcheur sur le chalutier *Abraden*. Il part pêcher la lotte, le merlu et la langoustine, pendant dix jours, au large de l'île de Ré et de l'île d'Yeu. «Entre chaque marée (pêche), il rentre se reposer à la maison où il reste trois ou quatre jours ; je lui raconte alors ce que j'ai fait pendant qu'il n'était pas là.» La mère de Sébastien, Christine, est parisienne.

«*J'aime bien m'habiller en rouge et en noir. L'hiver, c'est jean et baskets. L'été, c'est short et chaussures bateau.*»

«*Mes copains m'appellent tous Seb' ou Sébast'.*»

Sébastien

« Mon papa parle moitié français, moitié breton quand il téléphone à mon grand-père Joseph qui habite à l'île de Sein ou à son frère. Avant d'aller au lit, mes parents me disent : *da gousket,* **ce qui veut dire «au lit», et quand on mange :** *bara amann,* **ce qui veut dire «pain-beurre». »**

LA MER, TOUJOURS LA MER

Pendant les vacances, Sébastien va à la plage à côté de chez lui. Sa plage préférée, c'est la plage des Dames, le long de la corniche. Il aime bien faire du vélo sur le port de pêche. Parfois, il part faire une «marée» de deux ou trois jours au large de Concarneau avec son père sur l'*Abraden*.

«*À la récréation, on discute et on joue au football.*»

«*Le dimanche matin, je vais à la messe tout seul, à l'église Saint-Guénolé. Le mercredi matin, je vais au catéchisme et ça me plaît.*»

«*Le dimanche après-midi, je regarde des cassettes vidéo.*»

LA CHAMBRE DE SÉBASTIEN

Sébastien a une chambre pour lui tout seul, tapissée en bleu avec vue directe sur la mer. Il n'a aucun poster, seulement un tableau avec un phoque et un manchot.

«*Cette année, ma mère m'a inscrit au cours d'anglais. Je sais compter jusqu'à 12.*»

Voici son cahier d'anglais.

Les langoustines préparées par la mère de Sébastien

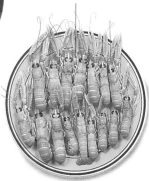

Sa collection de cartes Magic : il en a déjà plus de 200 !

«*On mange souvent du poisson et des langoustines à la maison. J'aime bien les langoustines et les pizzas. Maman fait très bien le risotto et la lotte à l'armoricaine avec du riz. Dans ma région, on mange beaucoup de poissons et de fruits de mer.*»

LES LOISIRS

Sébastien n'appartient à aucun club de sport, mais il aimerait bien faire du football.

Les rollers de Sébastien ; il aime en faire sur la corniche ou dans la cour de sa maison.

L'ÉCOLE DU DORLETT

Sébastien est en classe de CM2 depuis le mois de septembre 1997. Il aime bien les mathématiques mais pas la poésie. Il y retrouve ses trois amis : «Jérôme, mon meilleur ami, Jordan et Raphaël. On a tous 10 ans, on est dans la même classe à l'école. On se voit à l'école et parfois par hasard, dans la rue».

«*Parfois, au lieu d'aller à vélo à l'école, j'y vais à scooter avec maman.*»

Julie

Julie, 10 ans, a une idée très précise de son avenir : «Plus tard, je serai gendarme à cheval. Parce que j'aime bien les chevaux. Pourquoi gendarme, je ne sais pas trop.»
En attendant la rentrée où elle passera en CM2, elle partage son temps entre la mer et la campagne. « L'été, je vais beaucoup à la mer. Je me baigne et je fais du surf. L'hiver, c'est plutôt à la campagne. Mais j'aime bien les deux.»
Et puis, pendant les vacances, quelquefois elle aide son papa aux champs : «En ce moment on plante les choux-fleurs. Avec la machine, c'est facile et ça me plaît.»

LA BAIE DU MONT-SAINT-MICHEL
Saint-Méloir-des-Ondes, gros bourg d'Ille-et-Vilaine de 2 600 habitants situé entre Saint-Malo et Cancale, n'est qu'à quelques centaines de mètres de la baie du Mont-Saint-Michel. On est ici proche de la Normandie, dans la partie de la Bretagne où on ne parle pas breton.

La maman de Julie est secrétaire dans un GIE (Groupement d'intérêts économiques) de producteurs primeuristes.

Raoul, son petit frère, a 6 ans et demi.

Le papa de Julie est primeuriste : il produit des légumes.

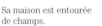

Sa maison est entourée de champs.

La maison de Julie est une longère. Bien que très restaurée, elle a conservé son caractère traditionnel avec ses encadrements de portes et ses linteaux de fenêtres en granit.

SA MAISON
Dans cette partie de la Bretagne, les maisons traditionnelles, dites longères, sont en granit, souvent sans étage. Construites tout en longueur (d'où leur nom), elles servaient à la fois de maison d'habitation et d'étable. Dans le grenier étaient stockées les récoltes (grain et foin pour les animaux).

UN PAYS DE PRIMEURS
Ici l'activité se répartit entre la conchyliculture (huîtres et moules de bouchots) et la culture des primeurs (carottes, choux-fleurs, poireaux, céleri, pommes de terre, artichauts…). Le père de Julie cultive 37 ha dont les deux tiers en primeurs et le reste en céréales (blé et maïs).

Julie donne parfois un coup de main à son père.

SA FAMILLE
Avec son papa, Pierrick, sa maman, Fabienne, et son petit frère Raoul, Julie habite dans une grande maison en pierre entièrement restaurée et agrandie il y a quatre ans. Ses grands-parents (paternels et maternels) étaient déjà agriculteurs dans la même région. D'ailleurs la maison est un bien familial et le papi habite la maison voisine, située à quelques dizaines de mètres de la sienne.

Les cocardes qu'elle a gagnées lors de courses

Raoul, son frère

Chloé, une cousine de Julie, qui a neuf cousins et cousines, tous plus jeunes qu'elle. La plupart habitent aux alentours, mais ils ne se voient pas très souvent.

«Je vais à l'église tous les dimanches, parfois aussi le samedi soir car je suis enfant de chœur. Mon papa , lui, ne va pas à l'église. À l'école privée on fait le catéchisme en même temps. J'aime bien ça, on apprend plein de choses.»

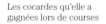

Sa selle de cheval

À CHEVAL
Julie fait du cheval chez son papi, le père de sa mère, qui a une jument nommée Princesse. Ici, c'est la maman qui fait le moniteur : «On a été élevés dans l'amour des chevaux, on le transmet aux enfants.»

«Je suis abonnée à P'tit loup et je suis en train de terminer "L'horloge maudite", c'est un roman…»

" *Cette année, avec tous les élèves du CM1, nous avons réalisé un journal d'école. Marylène, notre maîtresse, nous a fait travailler en groupe. Moi j'étais avec Alexandre et Adeline. Nous avons tout fait nous-mêmes, à tour de rôle : les articles, les photos et la maquette. L'année prochaine, en CM2, je serai avec le directeur, nous travaillerons peut-être à l'ordinateur car le directeur aime bien l'informatique.* **"**

SA CHAMBRE
Dans la grande maison de Julie, distincte de l'exploitation agricole, chaque enfant a sa chambre. Des chambres mansardées aménagées dans le grenier. «Avant que la maison soit refaite, j'étais avec Raoul. Je n'aimerais pas habiter à la ferme.»

Julie aide sa maman à faire pousser des fleurs devant la maison.

Chez Julie, on mange beaucoup de légumes que produit son papa.

Julie joue parfois avec son petit frère à des jeux de société comme par exemple le «toutou chapardeur» ou le jeu de l'oie.

Son nounours préféré

« Avec les parents, le week-end, on va faire des balades un peu partout. On visite aussi des châteaux avec des parcs fleuris. Maman aime beaucoup les fleurs. Des fois, je vais au cinéma, au Chocolat-Théâtre à Saint-Malo, avec la sœur de mon papi. On est aussi allés voir un gala de danse, un chanteur pour enfants, Jean-René, et une pièce de théâtre qui s'appelle La Sorcière du placard à balais. »

LES VACANCES
L'endroit est si joli qu'ils n'éprouvent pas trop le besoin d'aller ailleurs. La campagne, la mer, le Mont-Saint-Michel sont à portée de main. Julie va au centre aéré «qui se tient dans la garderie de l'école».

«C'est maman qui fait la cuisine. J'aime bien le lapin à la moutarde. Elle ne fait pas beaucoup de desserts… parfois des gâteaux, de la tarte au citron ou aux pommes. Mais je n'aime pas les huîtres et seulement un tout petit peu les moules. »

Équeutage des haricots en famille

UNE BALLERINE
Julie fait aussi de la danse classique et du modern jazz. « J'en fais depuis six ou sept ans ; deux fois par semaine pour le classique et une fois pour le modern jazz. C'était comme ça l'an dernier. Pour l'année prochaine, je ne sais pas… »

Le haras est niché au cœur d'une campagne verdoyante et riche. En été, il est entouré de champs de blé et de maïs.

Claire

«Je m'appelle Claire, j'ai 10 ans. C'est ma maman qui a choisi mon nom, en hommage à une amie qui est très gentille mais qui a du caractère. En tout cas, je sais déjà ce que j'aimerais faire plus tard : fleuriste ou puéricultrice.» Claire a en outre un rêve bien précis : posséder une Ferrari rouge décapotable ! «Quand j'étais petite, j'en ai vu une rouge à Deauville. Je n'avais que 3 ou 4 ans, mais je me suis dit : je veux la même.»

LA CAMPAGNE NORMANDE

Claire habite le haras de Sou, aux portes de Bursard, un joli petit village de 200 habitants. Il est situé en Basse-Normandie, à 17 km d'Alençon, la préfecture du département de l'Orne, célèbre pour la dentelle.

SA FAMILLE

Claire vit avec son père, sa mère et sa grande sœur. Ses parents possèdent un haras, une ferme où l'on élève des chevaux de course. Son père travaille avec son équipe sur les 90 ha de l'exploitation.

LES AMIES

Pendant les vacances, ou pour son anniversaire, Claire invite ses amies, Laetitia, Élodie, Aurore et Lucie, à venir chez elle. En été, les filles aiment bien se balader dans la campagne pour cueillir des fleurs ou faire du vélo.

Son père, Gilles

Sa mère, Annick

Aurore

Élodie

Ses autres grands-parents habitent Larré. Claire les voit toutes les semaines.

Marcel, le papy de Claire, habite à quelques kilomètres. De temps en temps Claire va dormir chez lui. Et c'est lui qui l'emmène avec l'une ou l'autre de ses cousines, nager dans la piscine qui appartient à un de ses amis.

Contrairement à la majorité des maisons du pays qui sont couvertes en ardoises grises, la sienne est coiffée de tuiles rouges.

LES CHEVAUX

Outre la naissance des poulains, son père s'occupe de chevaux en pension, en convalescence ou au repos. Deux superbes étalons, Ajdayt et Amthaal, pères d'une nombreuse descendance, font la fierté et la renommée du haras.

Sa sœur Céline, âgée de 14 ans, va au collège au Mêle-sur-Sarthe, une ville toute proche.

Claire et Céline ont inventé un jeu : le lancer de charentaises en balançoire !

Lorsqu'il pleut, Claire et ses amies jouent à des jeux de société : MasterMind, Monopoly, Mille bornes, cartes…

SA MAISON

La maison de Claire est une maison ancienne, tout égayée de fleurs, dedans et dehors. Claire «aime beaucoup la salle de séjour qui est vaste et pleine de fleurs».

«J'aime beaucoup cette campagne et je n'aimerais pas vivre dans une grande ville, ni à l'étranger.»

«Avant, chez papy, il y avait un piano. J'avais trouvé toute seule comment jouer "J'ai du bon tabac dans ma tabatière" et "Le bon roi Dagobert".»

Entre filles, on papote beaucoup, on parle du dernier film ou du dernier livre pris à la bibliothèque.

Gypsie, la chienne, se débrouille toujours pour mettre son nez sur les photos.

Claire adore faire des bouquets.

Claire Deroubaix

Claire ne manquerait pour rien au monde la fête de son village qui a lieu le deuxième dimanche d'octobre. C'est la dernière fête de la région. Il y a des manèges et des jeux pour les enfants et, le midi, un repas réunit tout le monde. «Une année, explique la maman de Claire, la fête tombait en même temps qu'une vente de chevaux à Deauville. Nous sommes allées toutes les trois à la fête, leur père est parti seul à la vente !»

Pendant la récréation, lorsqu'il fait beau, Claire joue à la marelle dans la cour de l'école, ou à l'élastique.

FLEUR PARMI LES FLEURS...

La passion de Claire, ce sont les fleurs : derrière les salades et les haricots de sa maman, Claire a un bout de jardin dans lequel elle fait pousser des graines. Après avoir préparé la terre, planté et arrosé, poussent de magnifiques œillets d'Inde couleur or, des centaurées bleues et roses et de beaux dahlias jaunes, qui font sa joie et sa fierté.

Avec son école, Claire a fait plusieurs classes découverte ; en 1991, une classe poney et, en 1993, une classe de mer, avec pêche aux moules et voyage en bateau. Elle a d'ailleurs été «la seule à ne pas avoir le mal de mer» !

Claire écrit des poésies, qu'elle note dans un grand cahier tout décoré, ou qu'elle offre à l'occasion d'une fête.

SON ÉCOLE

Contrairement à bon nombre d'enfants de son âge, Claire «aime l'école»... sauf les mathématiques. Son école se trouve à 3 km du haras de Sou. Elle compte trois classes : les maternelles, un ensemble CP-CE1, et un autre ensemble CE2-CM1-CM2. Le matin, sa maman l'accompagne en voiture et, le soir, elle prend le car de ramassage scolaire qui la conduit au village de Bursard, où l'attend son papa.

Ses amies habitent Bursard ou Essay et fréquentent la même école que Claire.

Ce lapin lui a été donné par sa grand-mère ; il s'appelle Waikiki.

Voici un de ses poèmes :
«J'aimerais être un oiseau qui volerait au-dessus de l'eau. J'aimerais être un écureuil qui sauterait sur les feuilles. Mais je ne suis qu'une corneille qui aime le soleil.»

En attendant de passer son permis et de pouvoir s'acheter la voiture de ses rêves, Claire collectionne les Ferrari rouges... miniatures. Histoire de prendre son mal en patience !

Ses objets peints

«J'aime peindre des personnages en pâte à sel, des sujets en plâtre comme des têtes de chevaux ; je peins aussi sur des coquillages que j'ai ramassés au bord de la mer».

«Les meilleures vacances que j'ai passées, c'est l'année où nous sommes allés au Portugal. Je me suis baignée tous les jours, nous étions dans un bel hôtel, nous avons visité le pays et goûté aux plats traditionnels, j'ai aimé la morue grillée.»

SES ANIMAUX

Claire aime beaucoup les animaux parce que «ça tient compagnie, c'est mignon et ça décore». Elle a surtout un faible pour les lapins, mais possède également un petit oiseau, un mandarin prénommé Tipiti.

Je vais une ...is par mois ...u cinéma ...vec maman ...Céline. ...aime les ...ms ...miques, ...mme "Menteur, ...enteur"».

Bérangère

«Je m'appelle Bérangère, j'ai 12 ans ; j'habite à Duclair, à côté de Rouen. Je fais de la danse, de la flûte traversière et je participe au Conseil municipal des jeunes. Pour plus tard, je n'ai pas d'idée… Peut-être faire quelque chose d'agréable, par exemple travailler dans l'informatique ou dans l'enseignement. Je pense que ce qui compte, dans la vie, c'est réussir, c'est-à-dire avoir un travail. Mais je rêve surtout d'avoir deux chiens, un grand et un petit.»

DUCLAIR

«J'aime les paysages qu'on voit de loin, avec des bois, des plaines, le fleuve qui coule ; il n'y a personne et pas de voitures. C'est ce que je vois de la fenêtre du deuxième étage de l'école de musique du Trait».

LE PARC DE BROTONNE

Duclair est située au cœur de la Haute-Normandie, sur les rives de la Seine. La ville est incluse dans le parc de Brotonne. «Dans ma région, la plupart des maisons sont crépies, les toits sont en tuiles ou en ardoises. Il y a aussi des chaumières avec des colombages.»

«Dans la maison, il y a une cuisine, une chambre pour chacun, une salle à manger, une véranda, deux salles de bains, un grenier, une cave, qui fait en même temps salle de jeux, et un jardin.»

«Derrière la maison, il y a un cerisier, et de temps en temps on va cueillir des cerises.»

«Ma maison idéale, c'est une belle maison au bord de la Méditerranée, avec de belles choses dedans : tu descends, et tu es à la mer.»

LA MUSIQUE, UNE PASSION FAMILIALE

Chez Bérangère, tout le monde fait de la musique : elle joue de la flûte traversière, son père de la guitare, Xavier de la trompette et Bastien des percussions.

«Mes deux meilleures amies sont Julie et Émilie. On se voit au collège et avec Julie, des fois, on se téléphone pour se rendre en ville, ou aller l'une chez l'autre. Chez moi, on va dans ma chambre. On joue à des jeux de société, on a fait ensemble un exposé sur la pollution : Julie aussi fait partie du Conseil municipal des jeunes.»

La flûte traversière de Bérangère

«Ma grand-mère maternelle habite à Saint-Germain-en-Laye. Pendant les vacances, à tour de rôle, on va tous passer une semaine chez elle. C'est bien ! On choisit les menus ensemble, on va voir les cousines, on regarde plus souvent la télévision. Il n'y a pas les parents et les frères pour nous embêter.»

«J'ai participé à des spectacles, où je dansais ou jouais de la flûte traversière, parfois avec l'orchestre. J'aime être sur scène, je n'ai pas le trac.»

Marc-Olivier, le père de Bérangère, 42 ans, est originaire de Paris.

Bastien, son autre frère, a 9 ans.

Xavier, son frère, a 11 ans.

Sophie, une amie de la famille

Dominique, sa mère, a 43 ans. Elle est née au Havre.

Bérangère

La famille a depuis peu une chienne, Monia. C'est un Schnauzer.

SA FAMILLE

Bérangère est l'aînée de trois enfants. Sa mère participe bénévolement à des animations lecture dans les écoles du Parc naturel régional de Brotonne. Son père est ingénieur dans une usine chimique de la région.

«Je fais de la danse classique deux fois par semaine et de la flûte traversière une fois par semaine : je dois y travailler tous les soirs. J'ai aussi une répétition avec l'orchestre une fois par semaine.»

«Ma tenue préférée, c'est un pantalon à carreaux, un tee-shirt en coton bleu et un pull par-dessus.»

Bérangère Béret

« *Je suis chrétienne, je crois en Dieu. Pour moi, c'est important d'être croyant, comme ça au moins, quand on a des problèmes, il y a quelqu'un pour nous aider. Je suis allée au catéchisme, on y apprend la vie de Jésus, et à partir de la rentrée, j'irai à l'aumônerie.* »

DANS SA CHAMBRE
Chez elle, Bérangère préfère la salle de bain, parce que la moquette est confortable, et sa chambre, qui est spacieuse.

«*Dans ma chambre, comme couleurs, il y a du rose, du vert, du blanc. J'ai accroché aux murs des tableaux, des posters : ils représentent des chiens, des schnauzers comme Monia, un calendrier chinois, des chaussons de danse, un portrait et les 2B3.*»

Bérangère habite tout près de son collège : on le voit de la fenêtre de sa chambre !

«*Pendant la récré, on règle leur compte à ceux qui nous embêtent ; on leur court après et quand on les attrape, on les tape, on les pince, et on les fait mettre à genoux, surtout les garçons.*»

Le plat préféré de Bérangère et de ses frères : les roses des sables, qu'ils préparent eux-mêmes lorsqu'ils sont en vacances.

Voici la recette : mélanger dans un saladier des corn-flakes, du chocolat fondu dans un peu de beurre, avec du sucre glace. Préparer des petits tas dans une assiette et mettre au réfrigérateur une heure. C'est prêt !

«*Mes copines de collège m'appellent Bébé, comme diminutif de Bérangère.*»

LE CONSEIL MUNICIPAL DES JEUNES
«Ce que j'aime bien, c'est que ça fait bouger la ville. On a lancé une action concrète : un rendez-vous pour nettoyer la ville. Je fais partie de la commission environnement-sécurité. C'est important pour la ville et pour la vie aussi.»

Voici son tutu de danse et ses chaussons

Elle recevait *30 millions d'amis* mais l'abonnement va se terminer.

LA LECTURE
L'occupation préférée de Bérangère, avec les jeux de société, c'est la lecture : les romans policiers, les BD, surtout *Cédric*, *Lucky Luke*… «Je les emprunte à la bibliothèque du Trait et au CDI. Je lis le soir avant de me coucher et quand je ne sais pas quoi faire.» Elle aime aussi regarder la télévision le mardi soir, le mercredi, le samedi.

LES LOISIRS
Bérangère joue souvent à des jeux de société avec ses frères. Leurs parents s'y associent parfois. Le week-end, toute la famille se promène en forêt, voit des amis. «J'aime bien le dimanche, c'est le seul jour où je n'ai rien à faire : ni classe, ni activités…»

«*Avec mes frères, on joue à trape-trape, à la balançoire, au ballon, aux jeux de société, on prépare des desserts ensemble. Comme aînée, j'ai parfois le droit de regarder la télé plus tard le soir, quand il n'y a pas classe le lendemain. Mais à l'âge de Bastien, je me couchais beaucoup plus tôt.*»

Chez Martin, c'est la porte jaune ! Il habite une petite maison de trois étages que ses parents ont entièrement réaménagée.

À Belleville, il existe encore de nombreuses cours pavées où s'alignent de petits immeubles et d'anciens ateliers d'artisans. Les maisons datent pour la plupart du début du siècle. Crépies de plâtre, elles ont un toit en zinc.

Martin

«Je m'appelle Martin, j'habite à Belleville, dans le 10ᵉ arrondissement de Paris. J'ai 9 ans et, cette année, je suis en CM1.» Pour le moment, Martin n'a encore aucune idée de ce qu'il voudrait faire plus tard. «La seule chose que je sais, c'est que j'aimerais être encore plus drôle que mon papa et savoir mieux dessiner que lui ! Sinon, ce que je déteste le plus au monde, c'est l'école.»

PARIS

BELLEVILLE

Dans cet ancien village, rattaché à Paris à la fin du siècle dernier, se côtoie une population très mélangée : immigrés, artisans, artistes. La vie de quartier y est encore très vivante.

«En Corse, on a une propriété, avec deux maisons et une partie de la forêt.»

Marianne, sa mère, est d'origine belge et suisse.

Martin

Noé a 7 ans.

SA FAMILLE

Martin vit avec sa maman, son frère Noé et son demi-frère Eugène, qui a 1 an et demi. Il passe presque toutes ses vacances avec ses grand-mères, l'une en Corse, qu'il appelle mamie, et l'autre en Bourgogne, Jeannotte.

BANQUET À SAINTE-MARTHE

Le quartier Sainte-Marthe où vit Martin était promis à la démolition. Les habitants se sont mobilisés pour le sauver, et ils ont gagné ! Le quartier est en cours de réhabilitation et les immeubles sont peu à peu rénovés. Sur la place, tous les ans, un banquet réunit tout le monde.

Philippe est le parrain de Martin.

Eugène était aussi de la fête, mais il s'est endormi dans sa poussette !

Son papa, Bernard, est scénariste pour la télévision, plus rarement pour le cinéma. Pour le moment, il habite à Gennevilliers. Il est d'origine corse.

UNE GRANDE «TRIBU»

«J'ai tellement de cousins que je ne sais plus trop combien.» Dans la famille de sa mère, il y a en effet eu beaucoup de remariages : un de ses oncles, par exemple, a eu quatre enfants de deux épouses successives, dont l'une s'est remariée avec un père de famille et ils ont eu… des enfants ! Tout ce petit monde fait partie de la famille, même s'il n'y a pas de réel lien de parenté.

Martin est ceinture blanche-jaune en sambo, un sport de combat. Cette année, il doit aussi commencer le piano et des cours d'escrime.

TROC D'ARTISTES

Dans le quartier vivent beaucoup d'artistes, comme le peintre Androuz. Martin lui achète des tableaux qu'il paie… en pots de confitures !

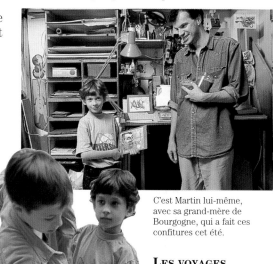

C'est Martin lui-même, avec sa grand-mère de Bourgogne, qui a fait ces confitures cet été.

LES VOYAGES

Martin rêve d'aller «en Égypte, pour les pyramides, et en Australie, pour les kangourous». En février, il fera son premier grand périple : il va partir au Bénin, avec sa mère et Noé. Cette perspective l'excite beaucoup !

LA RÔTISSERIE SAINTE-MARTHE

Marianne, sa mère, a deux métiers : décoratrice d'appartements et restauratrice. Tous les midis, elle travaille au restaurant d'une association qui s'occupe de promouvoir des projets culturels et artistiques.

J'aime bien la montagne, l'hiver, parce qu'on peut faire du ski.»

À l'école, on m'appelle Martin-Pêcheur. Je trouve ça plutôt rigolo.»

Martin

« *Souvent je me réveille en pleine nuit, c'est pourquoi je garde toujours mon encyclopédie à côté de mon oreiller. J'allume la lumière, et je lis un peu avant de me rendormir.* **»**

SA CHAMBRE

Elle est nichée tout en haut de l'appartement. Martin la partage avec ses frères. Son coin à lui, c'est la mezzanine bleue. Là-haut, il y a même la place pour un petit bureau. «Chez moi, l'endroit que je préfère, c'est ma mezzanine, car c'est l'unique endroit où je peux vraiment être tout seul.»

La mezzanine de Martin   Noé dort dans la mezzanine jaune.

Quand il en a le temps, Martin aime bien faire de la peinture. Voici une de ses œuvres.

Martin lit beaucoup, et un peu tout ce qui lui tombe sous la main. Il est abonné à différentes revues, comme *Astrapi*. Voici ses livres préférés.

Martin collectionne les pierres. Sa préférée est une reproduction d'inscription jamais déchiffrée, que sa grand-mère maternelle lui a ramenée d'un voyage en Crète.

Quand il fête son anniversaire, Martin présente toujours un spectacle de marionnettes à ses invités.

La grande tortue est à Noé, la petite (son fils), à Martin.

L'ÉCOLE

Martin va à l'école Parmentier, pas très loin de chez lui. C'est une grande école, avec pas moins de 90 élèves pour les trois CM1 ! Il y va souvent tout seul, mange à la cantine et reste à l'étude une fois par semaine.

«Mes fêtes préférées sont mon anniversaire, Noël et la fête de la Musique.»

«Avec Victor et Matthias, on n'a pas vraiment de jeux préférés. On essaie surtout de se faire rigoler en inventant n'importe quoi.»

«Je ne crois pas en Dieu, mes parents non plus.»

Victor et Matthias, les jumeaux, posent de chaque côté de la photo.

Charlène habite dans la même cour que Martin. Ils jouent souvent ensemble.

Niels est le petit frère des jumeaux.

SES AMIS

Ses meilleurs amis sont des jumeaux, Victor et Matthias. Ils ont 11 ans. Leur mère est la meilleure amie de Marianne et ils habitent dans la rue voisine. Martin voit ses amis chez eux ou dans sa cour, parfois sur la place Sainte-Marthe. C'est chez eux que Martin va voir des films en vidéo, car chez lui il n'y a pas la télé. Il a aussi cinq copains d'école : deux Thomas, Morgan, Quentin et Kantor.

Jonathan

Jonathan est parisien. Il vient juste d'avoir 12 ans et caresse un rêve : celui de devenir ornithologue. «En fait, j'hésite parce que j'adore les oiseaux, mais j'aimerais bien aussi devenir pédiatre.» En attendant, il est surtout préoccupé par l'organisation du tour du monde qu'il doit faire l'an prochain avec son père et son frère.

PARIS

CHÂTELET-LES HALLES
Depuis qu'il est né, Jonathan vit en plein cœur de Paris, entre Châtelet et le Louvre, dans un quartier très vivant et très touristique. «J'aime beaucoup Paris. Les gens disent que c'est trop pollué, mais, à mon avis, c'est surtout une très belle ville.»

Sa maman, Annick, est gynécologue.

Son papa, Raymond, est producteur de cinéma.

Jonathan

Thomas a 7 ans et demi.

«Chez moi, c'est dans le salon que je passe le plus de temps et ensuite dans ma chambre.»

SA CHAMBRE
Jonathan est très fier de son bureau, «une pièce unique, parce qu'on l'a fait faire par un architecte». Il y a installé son ordinateur, sur lequel il consulte souvent son encyclopédie multimédia. C'est lui qui a choisi la couleur de la moquette et du papier peint, dans des camaïeux de bleu.

SA MAISON
Jonathan habite un grand appartement, dans un immeuble du début du siècle. Dans le salon trône le piano, qui appartenait déjà à sa mère. Jonathan suit des cours particuliers de piano depuis déjà 6 ans (ici avec son professeur).

SA FAMILLE
Jonathan vit avec ses parents, tous deux d'origine juive polonaise, et son petit frère. Il a également un demi-frère de 25 ans, Stephen, qui est musicien et vient d'enregistrer un disque de hard-core avec son groupe, les Kick Back.

«Je vais parfois sur les tournages des films pour lesquels mon père travaille. Le dernier, c'était la Mort du Chinois, avec José Garcia et François Morel. On y entendra une chanson du groupe de mon frère !»

Ses grands-parents maternels

Jonathan attend le bus pour se rendre à son lycée

SES GRANDS-PARENTS
Ils ont quitté la Pologne dans les années 30 pour fuir l'antisémitisme et la misère. Ceux de leur famille qui étaient restés à Varsovie ont presque tous péri dans les camps de concentration nazie pendant la Seconde Guerre mondiale.

LA RELIGION
La famille de Jonathan n'est pas très pratiquante mais suit les traditions. Jonathan est circoncis et prépare sa bar-mitzva : cette cérémonie, qui aura lieu le jour de ses 13 ans, signifiera son entrée «dans la communauté des hommes». Il la prépare en suivant, depuis un an, des cours d'instruction religieuse à l'école de Talmud-Thora tous les mercredis après-midi. Il y a appris à lire en hébreu.

Jonathan avec ses amis Arthur et Benjamin

Jonathan

66 Avant, on célébrait les grandes fêtes juives selon la tradition familiale. Depuis que je suis des cours d'instruction religieuse, c'est moi qui dirige les cérémonies, car maintenant je connais les prières et les rites exacts. 99

Jonathan ne porte la kippa (calotte) que pour aller à la synagogue.

LES FÊTES

Jonathan célèbre les principales fêtes juives : Roch Ha Chana, le Nouvel An (sept.-oct.), Yom Kippour (dix jours après, fête du repentir), la fête des Cabanes (oct., en souvenir du temps où les Hébreux vivaient dans le désert), Hanoucca (déc., la fête des Lumières), et enfin Pessa'h (la Pâque juive, qui célèbre la sortie d'Égypte).

SES AMIS

Il y a Benjamin, qui était avec lui en primaire ; Arthur, qu'il a rencontré en 6e et qui lui a fait découvrir sa passion pour les oiseaux ; David et Dorian, également des amis de primaire.

Les appeaux reproduisent les chants des oiseaux.

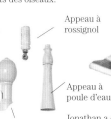

Appeau à rossignol

Pour son anniversaire, Jonathan a eu ce disque de chants d'oiseaux.

Appeau à coucou

Appeau à poule d'eau

LA PASSION DES OISEAUX

Grâce à son ami Arthur, Jonathan s'est découvert, l'année dernière, une véritable passion pour les oiseaux. Il sait presque tous les reconnaître et part les observer, à la jumelle, quand il est à la campagne.

Jonathan a eu ce nouveau skate, très performant, pour son anniversaire. Il a donné le vieux à son petit frère.

SKATE DANS LA RUE

Jonathan adore faire du skate dans la rue avec ses copains. Il réalise des tas d'acrobatie sans avoir jamais peur. Il en fait surtout à côté de son lycée, rue des Quatre-Fils, parce que le trottoir y est large et spacieux.

Les jumelles sont indispensables pour reconnaître les oiseaux.

LA NOURRITURE

Pour les fêtes, il mange les plats traditionnels des juifs d'Europe de l'Est, comme la carpe farcie.

La carpe farcie

Thomas et Jonathan font pousser des tomates sur une fenêtre de l'appartement !

SON ÉCOLE

Jonathan est en 5e au lycée Charlemagne. C'est un peu loin de chez lui mais il a choisi ce lycée car son meilleur ami de primaire, Benjamin, y était admis. C'est en plus un très bon établissement.

Davy

Pour Davy, 10 ans, l'important est de «prendre souvent du bon temps : jouer aux jeux vidéo, faire du tennis et dessiner. J'aime beaucoup dessiner !». Il a déjà une idée très précise de ce qu'il sera plus tard : champion automobile. «Je suis un vrai as des courses de voiture sur ma console vidéo. Des fois, mon père me laisse conduire sa voiture sur ses genoux, quand il la rentre dans le garage. Sinon, j'espère bien devenir champion de tennis.»

SON CADRE DE VIE

Davy habite dans une maison neuve, à Thorigny, une petite ville de la région parisienne, située à une trentaine de kilomètres de la capitale. «Ici, c'est assez beau, on est près d'une forêt, on voit parfois des écureuils et des lapins dans les champs.»

SA FAMILLE

Davy vit avec ses parents et sa sœur, dont il est très proche : avec elle, il joue à des jeux de société, aux cartes et fait souvent des batailles de coussins. Son père et sa mère ont passé toute leur enfance à Vientiane, la capitale du Laos ; ils se sont rencontrés en France.

Sa mère s'appelle Pany, ce qui veut dire «charitable» en laotien. Elle est originaire de Sam Neua, dans le nord du Laos. Elle travaille au ministère des Finances, à Noisy-le-Grand.

Sa sœur, Manola, a 14 ans.

Son père, Saykham, est originaire de Xieng Khouang, une ville du Laos à proximité de la frontière vietnamienne. Il est technicien en informatique à la Défense.

«Ma maison de rêve, c'est une maison de luxe, avec de beaux canapés, un terrain de tennis, une piscine, un vaste jardin pour les enfants. Autour, il y aurait une sorte de bulle pour la protéger.»

Sur cette photo, sa grand-mère maternelle a revêtu le costume laotien.

Son grand-père maternel était général dans l'armée laotienne avant 1975.

«Des fois, je vais au travail de ma mère, je joue à l'ordinateur.»

La mère de Davy

Le père de Davy

Davy

Manola

Le plus jeune frère de la maman de Davy et sa femme ont deux enfants, Robin et Kevin.

Robin, qui s'appelle aussi Soksai, a 2 ans.

Éric s'appelle Asung en laotien. C'est un cousin germain de Davy.

Kevin (dont le nom laotien est Mirit) a 4 ans.

Sandrine est la sœur d'Éric.

SES COUSINS

Davy a une vingtaine de cousins. Son père a cinq frères et sœurs, sa mère six ! Certains vivent en Australie, d'autres aux États-Unis ou encore dans le sud de la France. Ceux qui habitent la région parisienne passent beaucoup de temps avec la famille de Davy. Le week-end, les cousins jouent à la console électronique : «C'est rare dans la famille qu'il n'y ait pas de console.»

SES GRANDS-PARENTS

Les parents de sa mère vivent en Australie, Davy ne les voit pas souvent. Ils ont fui le Laos lorsque les communistes sont arrivés au pouvoir et ils ne peuvent plus y retourner. L'autre grand-père de Davy était négociant à Vientiane. Il est mort, mais sa grand-mère vit en France, chez une de ses tantes.

Davy aime bien jouer au foot dans le jardin avec son père.

À LA PAGODE

Si certaines cérémonies se déroulent à la pagode, d'autres ont lieu à la maison. On convie alors un maître de cérémonie, qui connaît les paroles et les gestes correspondant à chaque événement : naissance, crémaillère ou rétablissement.

Davy est à la fois un prénom occidental et un prénom laotien, c'est pour cela que ses parents l'ont choisi. La plupart de ses cousins ont en revanche deux prénoms : un français et un autre laotien, pour la maison.

«Mon paysage préféré, c'est un paysage de mer chaude, avec beaucoup de vagues.»

Davy

ກາວ໌

" Je suis bouddhiste, mais je ne pratique pas, même si je respecte les traditions. Pour moi, la religion, ce n'est pas trop important. "

Voici quelques mots de laotien. Bonjour : *sabaïdi.* oui : *dogne* (si on s'adresse à plus important que soi). oui : *eu* (dans les autres cas). Non : *bo.*

Le cahier de laotien de Davy

LE LAOTIEN

Davy ne parle qu'un peu laotien. Tous les dimanches après-midi, il va à Lognes prendre des cours de langue, dans une association. «Quand mes parents se parlent entre eux, je comprends seulement un peu. Sinon, je n'aime pas trop les cours, c'est barbant, pendant deux heures on apprend la même chose.»

Davy n'est jamais allé au Laos, mais il en parle souvent avec ses parents. Il pense que «c'est assez beau, qu'il y a beaucoup d'ambiance, beaucoup de disputes. J'imagine des montagnes et de nombreuses pagodes».

Le lap est un plat de fête laotien. C'est une salade de viande crue, très épicée, que Davy n'aime pas trop.

Le riz gluant doit se préparer longtemps à l'avance.

Le sin-eng est de la viande séchée au soleil.

Petites saucisses laotiennes

LA NOURRITURE

«Mes plats préférés, c'est la pizza et le poulet-frites. À la maison, ce qu'on mange le plus souvent, c'est des plats laotiens, du riz avec de la viande, le pho, une soupe, des légumes sautés. Il y a du riz tous les jours. Quand ma mère n'est pas là, avec ma sœur on fait surtout des pâtes.»

Anthony est son copain de tennis. Ses autres copains vont à l'école avec lui : il y a Pirasonthan (dit Pira), d'origine sri lankaise, Damien et Lay Eng, d'origine cambodgienne.

LE TENNIS

Une des activités favorites de Davy, c'est le tennis. Il y va trois fois par semaine : le samedi (mais parfois aussi le dimanche) avec son père, au cours le lundi et le jeudi soir. «Mon joueur favori c'est Sampras, parce que c'est le n°1 mondial.» Un de ses meilleurs souvenirs, c'est d'être allé à Rolland-Garros avec sa sœur.

«Je lis parfois le soir avant de me coucher, je suis abonné à J'aime lire, mais ce que je préfère c'est les Spiderman.»

Arnaud et Anthony sont jumeaux, ils ont 8 ans, Jérémy en a 11.

Davy adore dessiner, surtout Spiderman.

Les parents de Davy ont planté un bananier dans le jardin. Cela leur rappelle un peu le Laos !

Davy joue souvent avec ses voisins ; leur mère ramène Davy tous les soirs de l'école en voiture.

LE JARDIN

Toute la famille profite du grand jardin derrière la maison. «Nous donnons parfois des fruits aux voisins ; en échange, ils nous offrent des tartes.»

Manola, la sœur de Davy, effectue la danse MéBod : c'est un enchaînement des trente-six figures de base, qui sont reprises dans toutes les autres danses.

Cette figure signifie la floraison.

Celle-ci est en fait un enchaînement entre deux figures.

Celle-ci signifie le bourgeon.

Cette figure est une prière au génie pour demander sa bénédiction.

Celle-là signifie douce brise.

LA DANSE LAOTIENNE

La mère de Davy a appris à danser quand elle était petite fille au Laos ; maintenant, elle donne des cours à l'association laotienne de Lognes. C'est très codifié : chaque figure signifie quelque chose de différent selon la danse choisie.

CERGY

«Mon rêve serait d'habiter aux États-Unis parce qu'on peut payer en dollars, et je pourrais rencontrer des vedettes» (Mohamed).

Karamoko et Mohamed

Ils n'habitent pas la même ville mais se voient constamment. Karamoko va très souvent passer la journée ou dormir chez son cousin. Il peut s'y rendre tout seul en prenant le bus. Leurs parents sont très liés : leurs pères allaient ensemble à l'école primaire à Sikasso, au Mali, et se sont retrouvés en France.

Waly a 12 ans. — Aline a 22 ans. — Zenabou a 3 ans. — Le père de Karamoko — Karamoko

LA FAMILLE DE KOKO

Karamoko vit au premier étage d'un immeuble à Osny, dans la région parisienne, avec ses parents, Moussa et Fatoumata, ses sœurs Aline et Zenabou et son frère Waly. Il aime regarder depuis le balcon du salon le parterre fleuri et, plus loin, le toboggan et le bac à sable où vont jouer les petits. Sa sœur aînée (24 ans) n'habite plus avec eux.

LA NOUVELLE MAISON DE MOHAMED

Depuis un an, sa famille s'est installée dans une maison neuve avec un petit jardin et un garage, dans un des nouveaux quartiers résidentiels de Cergy-Saint-Christophe. Il y vit avec son papa, Modibo, sa maman, Fatimata, et ses deux frères, Salia (13 ans) et Aliou (6 ans).

Salia, le frère aîné de Momo — Moussa, le père de Koko — Modibo, le père de Momo — Fatoumata, la mère de Koko — Fatimata, la mère de Mohamed — Karamoko — Mohamed — Aliou, le petit frère de Momo

COUSINS À LA MODE AFRICAINE

Pour Mohamed, Karamoko est son cousin. Non que leurs parents aient des liens de parenté, mais les deux familles sont très proches. Leurs pères se connaissent depuis l'enfance. Puis ils se sont perdus de vue. Un beau jour, ils se sont retrouvés sur... le quai de la gare Saint-Lazare, à Paris. Depuis, les Camara et les Traoré sont inséparables.

Karamoko

LE RÊVE DE KOKO : S'ENTRAÎNER AVEC LES POMPIERS

Tous les samedis et les dimanches, Karamoko peut les voir s'entraîner de la fenêtre de sa chambre qui donne sur la caserne. Il sait que c'est possible car deux de ses copains ont des frères pompiers.

«Pour s'inscrire, il faut avoir 12 ans. Les volontaires s'entraînent à lancer des échelles. Ce qui me plaît dans ce métier, c'est l'aventure, et puis on aide les gens. Le seul problème c'est que certains pompiers de la caserne n'aiment pas les Noirs.»

Mohamed aime bien son nouveau quartier : c'est calme et plein de verdure ; il peut faire du VTT sur les talus et dans les ruelles piétonnières tout autour.

De l'autre côté du jardin vit Jimmy, 11 ans, le meilleur ami de Mohamed. Ils se parlent par-dessus la barrière et se racontent des histoires pour se faire peur.

Un prénom de sagesse

Karamoko est très fier de son nom : en bambara «Karamoko» désigne un maître religieux. «C'est un prénom de sagesse. Du coup, on me doit le respect.» Mais pour faire plus court, presque tout le monde l'appelle Koko ! C'est aussi le prénom du frère de sa mère. En Afrique, on donne presque toujours le nom d'un ancêtre, en signe de respect et d'affection. Cela s'appelle un homonyme.

LA RELIGION

Karamoko et Mohamed croient en Dieu et sont musulmans. Tous les soirs, Karamoko va prier à la mosquée du foyer, près de chez lui, avec ses frères et ses copains. Il y retourne le samedi matin pour l'école coranique : on y apprend par cœur en arabe des versets du Coran. Il fait aussi le Ramadan, c'est-à-dire qu'il ne mange pas du lever au coucher du soleil pendant un mois.

«Là-bas les routes sont en terre et cela fait plein de poussière, surtout lorsqu'on monte à l'arrière du camion de mon tonton Baye. C'est génial, on s'accroche aux côtés pour ne pas tomber. Les chiens sont en liberté et il y a des troupeaux de moutons en pleine ville.»

LES VACANCES AU MALI

Tous les trois ou quatre ans, leurs familles repartent au Mali l'été. Cette année, Mohamed part avec son père et ses frères. La dernière fois, il avait 5 ans et il ne se souvient pas de grand-chose, si ce n'est que sa grand-mère de Bamako habite en face d'un magasin où l'on peut acheter des bonbons tout rouges...

LEUR PLAT PRÉFÉRÉ

C'est le steak-frites, mais aussi le tiep que préparent leurs mamans tous les dimanches. Le vrai nom est Ti Bou Dien. C'est du riz, cuit dans un court-bouillon de légumes, qui se mange avec une sauce rouge, à base de tomates et de piments, et du poisson.

LES AMIS DE KOKO

Il y a Massadi, qui est dans sa classe, mais aussi Hamidou et Ousmane qu'il retrouve chaque soir en bas de son immeuble. Avec eux, il joue surtout au foot, au Nintendo, au Game-Boy. Ils se racontent des histoires drôles et lisent des *Dragonball Z*. Dans un petit bois, à quelques mètres de son immeuble, ils s'amusent à construire des cabanes avec des cartons et de vieilles planches en bois qu'ils ont récupérés.

Mohamed est abonné au magazine *Picsou* et est très fier de sa collection. Les livres, il les emprunte à la bibliothèque de l'école. Ce qu'il préfère, bien sûr, ce sont les bandes dessinées.

UN GRAND SPORTIF

Karamoko va à la piscine une fois par semaine et, depuis trois ans, il fait de la boxe trois fois par semaine, comme son grand-frère. «Pour s'échauffer, on court et on saute à la corde ; puis l'on s'entraîne à frapper dans une sorte de sac rembourré. Le problème, c'est que l'entraîneur n'est pas sérieux : souvent il ne vient pas. Et puis, c'est un peu trop violent.» Du coup, Karamoko voudrait arrêter l'an prochain.

Mohamed espère bien pouvoir s'inscrire au club de foot l'année prochaine.

L'outre-mer

La France, ce n'est pas que l'Hexagone : le pays a en effet la particularité d'avoir conservé une dizaine de possessions outre-mer, vestiges de son ancien empire colonial. Tu découvriras ainsi, au fil de ces pages, des petits Français de l'autre bout du monde.

Saint-Pierre-et-Miquelon se situe au nord-ouest de l'océan Atlantique.

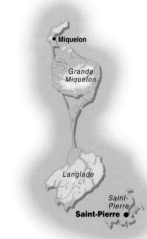

Claire habite Saint-Pierre-et-Miquelon

La Guadeloupe se trouve entre les États-Unis et le Venezuela.

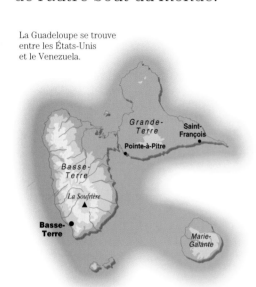

Cynthia et ses sœurs, Cécile et Christelle, sont guadeloupéennes.

La Martinique est à environ 200 km au sud de la Guadeloupe.

Nicolas vit en Martinique.

La Martinique, la Guadeloupe, la Guyane et la Réunion sont des DOM.

Davina est guyanaise.

La Guyane se trouve au nord de l'Amérique du Sud.

LES DÉPARTEMENTS D'OUTRE-MER

Les départements d'outre-mer, ou DOM, ont le même statut que les départements de l'Hexagone, à deux différences près : les lois françaises peuvent y être adaptées en fonction des circonstances locales et ces départements correspondent également à des régions. Ils possèdent donc à la fois un conseil général et un conseil régional.

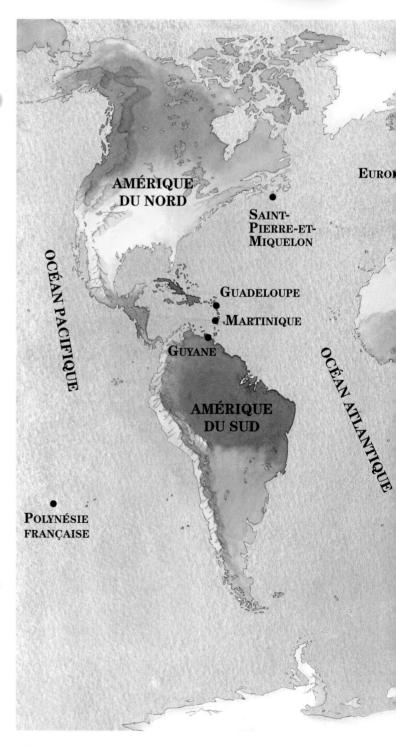

Tahiti

Polynésie française
trouve en plein
cifique Sud.

Jessie vit en Polynésie
française.

LES TERRITOIRES D'OUTRE-MER

Les territoires d'outre-mer, ou TOM, regroupent la Nouvelle-Calédonie, la Polynésie française, Wallis-et-Futuna, ainsi que les Terres australes et antarctiques. Leurs institutions ne sont pas toutes identiques mais tous ces territoires sont représentés au Parlement français.

Christophe
est réunionnais.

La Réunion est
une île au large
de Madagascar,
dans l'océan
Indien.

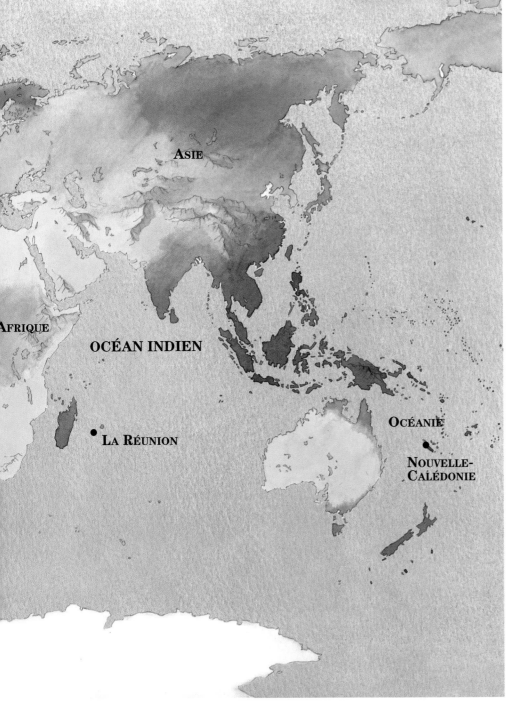

ASIE

AFRIQUE

OCÉAN INDIEN

• LA RÉUNION

OCÉANIE

NOUVELLE-CALÉDONIE

Rodolphe habite en Nouvelle-Calédonie.

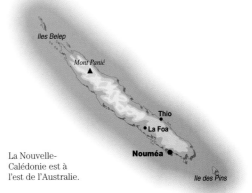

La Nouvelle-Calédonie est à l'est de l'Australie.

LES COLLECTIVITÉS TERRITORIALES

Elles comprennent Mayotte et Saint-Pierre-et-Miquelon. Elles s'administrent librement par un conseil élu (un conseil général à Saint-Pierre-et-Miquelon).

POINTE-À-PITRE

C'est la capitale de la Grande-Terre. Cynthia et ses parents y vivent, parce que c'est plus pratique pour aller à l'école, et pour le travail de ses parents. Mais dès qu'ils le peuvent, ils rejoignent leur maison de Saint-François.

« J'aime Pointe-à-Pitre, pour les boutiques, aller acheter des choses. On y trouve de tout ! Mais je préfère Saint-François pour la nature. J'ai plus de place pour jouer. »

SA FAMILLE

Cynthia vit avec son père, sa belle-mère et ses deux sœurs. « Christelle a 17 ans. Elle vient tout juste de réussir son bac. Elle va bientôt partir à Paris pour ses études. Elle me manquera. On s'entend bien. Cécile a 13 ans et passe en 4ᵉ. Moi je passe en 5ᵉ. »

« Je ne trouve pas les métropolitains différents de nous. Enfin, je n'y ai jamais pensé. Ici, dans ma classe, dans la rue, il y a des Indiens, des Noirs, des Blancs, je ne vois rien de différent. »

Cynthia

« Je m'appelle Cynthia, j'ai onze ans. Je suis née à Pointe-à-Pitre en Guadeloupe. La Guadeloupe, c'est un papillon avec deux ailes, la Grande-Terre et la Basse-Terre. La première est plus ensoleillée avec des plages de sable blanc ; la seconde, davantage boisée avec des plages de sable noir. Plus tard, je souhaite devenir hôtesse de l'air : j'aime l'avion et je rêve de voyager pour rencontrer des gens différents, découvrir d'autres pays. »

Cécile

Son papa, Edmond, est menuisier à la mairie de Pointe-à-Pitre.

Sa belle-mère, Betty, travaille à l'école comme aide-maîtresse.

SAINT-FRANÇOIS

Saint-François est une ville située à une demi-heure de Pointe-à-Pitre. Grâce à sa côte très ensoleillée, où se succèdent de superbes plages, c'est une commune très touristique.

Christelle

LA RELIGION

« Je suis catholique. On va à la messe tous les dimanches avec ma famille. Je crois en Dieu, je suis sûre qu'il veille sur nous et qu'il fait de son mieux. Je prie pour réussir dans mes études. Je prie pour que toute ma famille ait la santé. Je prie pour mes sœurs. »

SA GRAND-MÈRE

« Je vois souvent ma grand-mère, la maman de mon papa. Elle est vraiment très gentille. Elle me prépare des sucreries au coco ! J'adore ça. »

SA MAISON À SAINT-FRANÇOIS

Cynthia et sa famille passent tous leurs week-ends et leurs vacances à Saint-François. « Notre maison, c'est papa qui l'a construite tout seul… Elle est blanche et grise avec une grande véranda tout autour. »

Sa grand-mère a revêtu le costume traditionnel, tout en dentelle et madras. Il n'est pas porté tous les jours, les dames âgées le mettent parfois, pour les fêtes et surtout pour la grande Journée des cuisinières : ce jour-là, elles défilent dans les rues de Pointe-à-Pitre avec leurs paniers remplis de victuailles.

*Je comprends bien le créole.
a ou fè, ça veut dire
comment vas-tu ?". J'aime
ien cette langue, mais on ne
e parle pas souvent à la
aison.»*

CILIRIE.C

« *Si une amie venait pour la
première fois en Guadeloupe,
je lui ferais visiter Pointe-
à-Pitre, parce que c'est là
qu'il y a toutes les boutiques.
Je l'emmènerais sur les plages,
à la rivière. Je lui ferais
connaître nos spécialités.
La cuisine en Guadeloupe,
c'est bon !* **»**

SA CHAMBRE

À Saint-François, Cynthia partage sa chambre
avec sa sœur Cécile. Si cette dernière aime les
peluches, Cynthia a décoré son coin avec sa
collection de Barbie.

*«Ce que j'aime par-dessus tout, c'est dessiner.
Je m'assois dans le jardin, à Saint-François,
et je dessine des visages, des paysages.»*

Sa peluche
préférée

SES AMIES

«J'ai plusieurs copines
de classe mais
seulement deux vraies
amies, Anaïs et Laura.
Elles viennent me voir
à la maison, pendant
les vacances. On parle
de tout : de la classe,
de ce qu'on va faire
quand on sera plus
grandes… »

Voici un de ses dessins.

Les burgots, des coquillages
de mer comestibles

UNE GRANDE COLLECTIONNEUSE

Cynthia collectionne, depuis plus
d'un an, des cartes téléphoniques.
Elle en a plus d'une centaine de
toutes les couleurs. «J'en ai acheté
quelques-unes, les autres m'ont
été données par papa, Betty ou
mes sœurs. Celles que j'ai en
double, je les échange avec mes
copines qui font la collection…»

Les lambis sont de
gros coquillages qui
abondent dans les
Antilles. On les prépare
en daube, fricassés
(comme ici), au court-
bouillon ou grillés.

Cynthia joue souvent avec ses
sœurs à des jeux de société.

GASTRONOMIE

La Guadeloupe a de nombreuses spécialités
culinaires, comme le court-bouillon de poissons,
le matété de crabes (une préparation de crabe à
base de riz), le calalou (une soupe, le plat préféré
de Cynthia), le colombo (un plat au curry).

*«J'adore les vacances. Avec mon papa,
Betty et mes sœurs, on part à la plage
ou à la rivière. On va au concert,
écouter du zouk. J'adore le
groupe Zouk Machine.»*

LA POINTE
DES CHÂTEAUX

À l'ouest de Saint-
François commence
la splendide plage
de la Pointe des
Châteaux, «une plage
avec de grosses roches
qui ressemblent à des
forteresses».
Cynthia aime
beaucoup s'y rendre.

Sa maison était à l'origine un abri où son arrière-grand-père Maurice rangeait ses canots et son matériel de pêche. Elle se compose d'un rez-de-chaussée (cuisine et salle à manger) et d'une grande chambre à l'étage partagée par toute la famille.

Nicolas

Nicolas, 9 ans, vit à la Martinique. Il a décidé de devenir «mécanicien auto-bateau parce que j'aime la mécanique. Je m'entraîne avec mes Lego». En attendant, il trouve important «d'étudier pour savoir ce qu'on ne connaît pas et avoir un bon métier, apprendre à lire, à compter, à parler les langues étrangères». Il rêve de «visiter des pays où il fait toujours beau, avec beaucoup de fleurs et des gens agréables et gentils».

LE PRÊCHEUR

LA PLAGE MARTINIQUAISE

Nicolas habite la commune du Prêcheur, dans le quartier Anse-Belleville, où résident une majorité de marins-pêcheurs. Sa maison est bâtie sur la plage, isolée sous les cocotiers. Derrière commence l'imposant massif de la montagne Pelée.

«Dans mon village, il y a beaucoup de maisons individuelles en ciment et en briques. Les toits sont en tôle car ça résiste aux cyclones.»

«On me demande souvent si je suis né en France car j'ai la peau claire.»

LA MONTAGNE PELÉE

Elle est célèbre pour son éruption volcanique qui a détruit la ville de Saint-Pierre, le 8 mai 1902, en quelques minutes. C'est aujourd'hui une zone protégée. «La montagne m'impressionne, elle est tellement grande.»

Son père, Patrick, est marin-pêcheur. C'est un authentique Martiniquais.

Sa maman, Mary-Josée, est puéricultrice. Elle est mulâtre (sang-mêlé noir et blanc) : leurs enfants sont ce qu'on appelle des «chabins».

Yannis, son plus grand frère, a 18 ans.

Yoann a 12 ans.

Nicolas

Yaël a 3 ans.

«Chaque année, quand mes cousins viennent en vacances, on construit une cabane dans les bois derrière la maison ou au bout de la plage.»

SUR LE FILET

Le père de Nicolas exploite trois yoles (bateaux) de pêche, un pour la pêche au large, deux pour la pêche à la senne. La senne est un grand filet qu'on tire depuis la terre ferme.

SES COUSINS

Niko a dix cousins, dont une de son âge, Kimera. Ils se voient souvent, «aux fêtes, pendant les vacances, sauf Myriam, Maïté et Arnaud, qui vivent en Guadeloupe. «Arnaud est mon préféré, il a 6 ans.»

«Je vois mon papi Raymond tous les jours à Saint-Pierre et, quelquefois, je vais passer deux ou trois jours à Fort-de-France chez mamie Ginette.»

Niko et Yaël jouent sur la senne de leur père.

«Je ne suis jamais allé en France. Il y a des saisons différentes. J'aimerais visiter Paris et voir la tour Eiffel.»

Niko fait les courses à «Kail Man Lili» (la boutique de Dame Lili), l'épicerie du quartier.

SA FAMILLE

Nicolas est le troisième d'une famille de quatre garçons – et le seul à avoir un prénom ne commençant pas par Y ! Alors, il se sent «un peu à part». Il a encore son grand-père maternel, ses deux grand-mères et même une arrière-grand-mère, «Mémeille», qui, malgré ses 91 ans, se baigne dans la mer avec les enfants ! Son grand-père, le fils de Mémeille, ancien directeur d'école, est aussi un amateur de pêche éclairé.

On me surnomme
ko depuis le film
nspecteur Nico, avec
renzo Lamas. Tous
s amis m'appellent
mme ça.»

M. Nicolas
Lionel

Nicolas fait de la
planche en mer.

Sa planche

> «« Ma maison, c'est la petite maison au bord de la mer. C'est la dernière du village, le long de la plage. Sur la plage, je joue au ballon, j'aime me baigner, plonger dans l'eau et pêcher du poisson que je grille moi-même. »»

«Je lis quand je m'ennuie, ou quand je suis fatigué de la mer. Le matin, l'après-midi, toute la semaine.»

LA RELIGION

Nicolas et ses parents sont catholiques. «Je crois en Dieu. C'est important, car c'est lui qui nous a donné la vie, c'est lui qui nous a créés. On ne va plus à la messe, je fais mes prières à la maison. Pas de catéchisme, j'irai à 10 ans pour faire ma communion.»

Ses livres préférés : les bandes dessinées de Disney et des livres d'aventures comme *Moby Dick* ou *La Case de l'Oncle Tom*.

La vie de marin-pêcheur est périlleuse ; chaque matin, avant de partir, le père de Niko fait sa prière devant ce petit lieu de culte installé chez lui, car l'église est trop loin. De telles chapelles privées existent dans de nombreuses maisons de pêcheurs martiniquais.

DEVOIRS
DE VACANCES

Pendant les vacances, pas question d'oublier ce qu'on apprend toute l'année. Son école est à 2 km de chez lui, il s'y rend en car. Nicolas est en classe avec douze filles et dix-huit garçons. «Pendant la récréation, on joue à cache-cache ou on fait des courses de vitesse.» Le mercredi, Nicolas fréquente le centre aéré.

Quand leurs parents ne sont pas là, Nicolas et ses frères font eux-même griller le poisson qu'ils ont pêché. La pêche est, avec le football, le passe-temps préféré de Niko.

Nicolas adore faire la course avec ses amis sur la plage ou dans la rue principale de son quartier. Il joue aussi souvent au football avec ses voisins et ses copains.

À TABLE

Le père de Nicolas étant marin-pêcheur, on mange chez lui très souvent du poisson, mais lui préfère le steak-frites ou la purée. Il aime tout, en particulier les plats que prépare sa maman : le poisson frit avec des bananes jaunes, le blaff (poisson cuit à l'eau avec des épices), le court-bouillon (poisson à la tomate et épices), la langouste grillée et les fricassées de lambi (coquillage) ou de chatrou (poulpe).

Poisson frit à la banane jaune, avec du riz

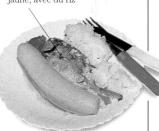

La banane jaune est une banane légume qui se mange bouillie à l'eau comme une pomme de terre.

la maison,
colas porte
ste un maillot de
in ou un caleçon.
la rentrée
ochaine, je vais
ettre des jeans à
cole pour faire
mme les grands,
r je mesure
43 m.»

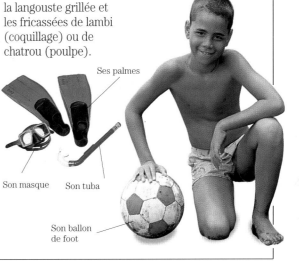

Ses palmes

Son masque

Son tuba

Son ballon
de foot

Awala est au bord de la plage, les carbets (habitations traditionnelles) sont construits en wapa (bois imputrescible) et recouverts de feuilles de palmes (koum).

Davina

Davina est née le 12 décembre 1983 à Saint-Laurent-du-Maroni, en Guyane française. «Mon nom est Davina Icho. Quand j'étais plus jeune, ma famille m'appelait Choulouamon, parce que j'étais un peu grosse. Je suis une Amérindienne et j'appartiens à la communauté des Galibis, on peut dire aussi la communauté Kalina. Bien travailler à l'école est pour l'instant ce qu'il y a de plus important pour moi. Mais plus tard, j'aimerais être une chanteuse de zouk car j'ai une belle voix. Sinon, je serai infirmière à l'hôpital de la Madeleine à Cayenne.»

AWALA

SON VILLAGE

Son village, Awala, fait partie de la commune d'Awala-Yalimapo, créée en 1988 (en tout 800 habitants). Il est entièrement administré par les Galibis ; la commune est située dans le nord-ouest de la Guyane entre l'embouchure du Maroni, l'Atlantique et l'estuaire de la Basse-Mana. Tous les habitants sont des Galibis-Kalina. Outre Monsieur le Maire, un chef coutumier se porte garant de l'identité galibi.

Son père Youssou est pêcheur. Il possède une pirogue avec laquelle il part en mer, pêcher au filet ou à la ligne.

Devant le carbet-cuisine, construit à part, sont plantés deux acajous.

Son cousin Axel est métissé galibi-coolie, c'est-à-dire Amérindien-Indien.

Érika a 8 ans.

Sa mère Yvonne s'occupe de la maison et des enfants.

Orlane a 2 ans.

Son cousin Axel

«Chez moi, je parle le kalina. Le français, c'est pour l'école. Je parle aussi un peu créole avec mes cousins d'ailleurs.»

LE JUS DE MANIOC

Les tubercules de manioc sont épluchés, mis à tremper dans de l'eau, puis rapés. Le jus s'écoule. Bouilli, il sert à faire cuire les poissons et les viandes. Mais cru, c'est un poison !

Davina «grage», c'est-à-dire rape le manioc.

SA FAMILLE

Davina vit avec ses parents, sa grand-mère et ses deux sœurs, Érika et Orlane.

Sa grand-mère maternelle, Antoinette, a pour prénom amérindien Yamomeloum.

La farine de manioc, pilée, tamisée et cuite est transformée en galettes, ou kassav, séchées au soleil. Si l'on grille la farine, on obtient de fins granulés, c'est la couac qui se conserve très bien et s'accommode avec tout.

LES HAMACS

Dans le carbet familial, tout le monde dort dans des hamacs (nimogu). La grand-mère les tisse avec du coton extrait de cotonniers qui poussent un peu plus loin.

LES GALIBIS

La communauté Galibi-Kalina appartient au groupe des Indiens Caraïbes ; c'est aujourd'hui l'ethnie la plus nombreuse de Guyane (plus de 2000 personnes) et la plus dynamique. Les autres communautés amérindiennes sont les Wayanas (même groupe Caraïbe que les Galibis), les Arawaks, les Palikurs, les Oyampis, les Émerillons. La vie des Galibis se partage entre la chasse, la pêche et l'agriculture de subsistance sur abattis. Ils occupent aussi de nombreux postes dans les administrations ou au centre spatial de Kourou.

Les enfants sont montés sur la pirogue du papa de Davina

*Je rêve d'habiter
[un] appartement à
[C]ayenne. C'est mieux
[c]ar il y a plus de
[v]oitures, de
[m]agasins, de
[b]outiques, de
[ci]némas.»*

Davina

De temps en temps, au village, Davina assiste à un coupe-deuil. Cette cérémonie est destinée à casser le veuvage et permettre à la veuve de se remarier un an après la mort de son conjoint. À cette occasion, les femmes se coupent la frange et les hommes se rasent la tête. Tout le village en profite pour banqueter, consommer quantité de cachiri, une boisson faite à base de manioc fermenté et légèrememt alcoolisée, et danser au son du sambula (tambour).

En kalina, le collier de perles s'appelle l'«aneka». Il symbolise ce que les Galibis ont pris aux hommes blancs quand ceux-ci ont mis pied pour la première fois sur leur territoire. Cette verroterie servait alors de monnaie d'échange.

Davina a réalisé elle-même ces magnifiques colliers de perles.

Son école est un bâtiment moderne dont les murs sont recouverts de fresques représentant la forêt, les fleuves, la flore et la faune, les habitants.

SON ÉCOLE
Elle comprend 10 classes au total. L'instituteur de Davina est un métropolitain (un «blanc», comme elle dit). En classe, Davina suit des cours de kalina : il n'y a pas d'écrit, car c'est une langue à tradition orale. À la récré, tout le monde joue au ballon. Parfois, l'école organise des pique-niques à Yalimapo, sur la plage des Hattes.

LES ACTIVITÉS
Les deux meilleures amies de Davina sont des camarades d'école : Florine et Régina. Elles viennent parfois jouer chez elle. Ensemble, elles fabriquent des colliers de perles de rocaille, en suivant les conseils de la grand-mère de Davina.

Chaque fois qu'il y a un tir de fusée depuis la base spatiale de Kourou, et si le temps le permet, Davina suit la trajectoire de la fusée dans le ciel.

LES TORTUES-LUTH
La plage d'Awala-Yalimapo est l'un des plus importants sites au monde de ponte des tortues-luth. Lorsque c'est la période (de mars à juillet), Davina adore aller observer ces géantes sorties de l'océan, venues parfois par centaines ! Il faut environ 1h30 à la tortue pour sortir de l'eau, pondre et redescendre à la mer. Elle creuse un nid d'environ 80 cm de profondeur pour y disposer une soixantaine d'œufs. Très peu écloront et de nombreux bébés tortues seront mangés par les prédateurs.

Les Amérindiens sont très friands des œufs de tortues-luth qu'ils consomment boucannés. Mais depuis une dizaine d'années, les lois de protection de la tortue-luth interdisent absolument cette consommation.

La tortue-luth (*kadolou* en galibi, *kawana* en créole) est la plus grande de toutes les tortues. Elle pèse de 400 à 800 kg et mesure jusqu'à 2 m de long !

Sa grand-mère fabrique aussi des objets en terre cuite selon des techniques ancestrales (technique du colombin, pas de cuisson au four).

«Je me sens Amérindienne de Guyane avant tout. Pour moi, la France est un lointain pays que j'aimerais bien sûr visiter un jour.»

Ce petit banc traditionnel est en forme de hocco, un gros volatile sauvage dont la chair est ici très appréciée.

SAINT-DENIS

Christophe

«Je m'appelle Christophe, mais parfois, mes parents me surnomment Ti-Lion parce que c'est mon signe astrologique. Je ne sais pas encore quel métier je ferai plus tard.

J'habite à Sainte-Clotilde à la Réunion et j'aimerais bien visiter d'autres pays : la France, l'Amérique, la Chine et l'Italie. La France pour voir Disneyland et la tour Eiffel. L'Amérique parce que c'est un pays riche et à la mode. La Chine à cause de Dragon Ball et parce que c'est là que tout sort en premier. Et l'Italie pour les pizzas.»

LE BARACHOIS

Saint-Denis ne possède pas de plage ; une promenade est aménagée le long de la mer : c'est le Barachois, que Christophe trouve particulièrement agréable. Pour se baigner, il va à Saint-Gilles, où «il y a une barrière de corail et un lagon qu'il faut protéger». Il va quelquefois y «cueillir des coquillages pour Gro-Mamie».

Son père, au chômage, reste très actif : «Il peint la maison, répare la baignoire, s'occupe de la piscine, il n'arrête pas... et c'est le taximan de la famille !»

Sa mère est institutrice.

Frédéric a 9 ans.

Emmanuel a 14 ans.

SA FAMILLE

Christophe vit avec son père, sa mère et ses deux frères. Les trois frères sont très liés, ainsi ils ont décidé de s'attendre pour faire ensemble, l'an prochain, leur communion (pour les plus jeunes) et leur confirmation (pour l'aîné). Christophe a aussi de nombreux cousins : dix-huit du côté de son père et trois du côté de sa mère. La plupart vivent à la Réunion ; certains sont à Paris, il leur rendra visite pour la première fois cette année.

LA RÉUNION

La Réunion est «une île des tropiques, très montagneuse, avec de beaux paysages, la mer...» (l'océan Indien), située à proximité de Madagascar et de l'île Maurice. Sainte-Clotilde est un quartier de Saint-Denis, le chef-lieu de l'île.

GRO-MAMIE

Quand ses parents le grondent, Christophe se réfugie chez Gro-Mamie, sa grand-mère maternelle. Elle habite juste à côté avec le papi, les deux maisons communiquant par un portail. Sa grand-mère paternelle, surnommée «Ti-Mamie», vit dans le centre-ville.

Avec ses amis, Christophe parle créole et, chez lui, un français dans lequel se glissent fréquemment des expressions créoles. Ainsi, les bichiques (des alevins) sont «des guiguine poissons» (des poissons minuscules).

Gro-Mamie écrase le piment dans le pilon. Le piment s'utilise dans les rougails et les achards.

Christophe est assez coquet, il aime bien être «à la mode» et n'hésite pas à utiliser du gel pour plaquer ses cheveux lorsqu'ils sont un peu longs.

VÉLO ET PATIN

Christophe est sportif : «Je faisais du bicross et puis j'ai arrêté parce que la piste avait changé et que c'était nul. Maintenant je fais du patin.» Il s'entraîne deux fois par semaine.

Christophe est fier de son arrière-grand-père paternel, François Cudenet, peintre et musicien ; c'est lui qui a introduit le cinéma à la Réunion. Une place de Saint-Pierre porte son nom.

CHEZ LUI

Christophe vit dans la maison où sa mère a passé son enfance. C'est une maison en dur avec une véranda entourée d'une cour verdoyante. Dans le quartier se côtoient quelques immeubles, des cases en dur et d'autres plus modestes, souvent couvertes en tôle et toujours très fleuries.

J'aime bien mon
école. Quand je
serai grand, j'y
mettrai mes
enfants... si elle
existe encore.
Elle est grande,
elle est catholique.
C'est important parce
que je crois en
Dieu.»

CHRISTOPHE

« À la Réunion, l'été, d'octobre à mai, est la saison des cyclones : «On apprend par la météo qu'il va y avoir un cyclone, ils font des photos par satellite. Il n'y a plus d'école, c'est super ! On fait des provisions, on rentre tout et on ferme la maison. On prépare les bougies à cause des pannes de courant. Il y a de la pluie, de l'orage, le vent souffle fort. La mer fait de grosses vagues. Ça peut durer plusieurs jours. Tant que le cyclone est là, on reste enfermé dans la maison. Après, dehors, il y a des feuilles partout, des arbres cassés. »

Les caméléons, appelés ici l'endormis ou lendormis, viennent parfois se chauffer dans la cour de la maison !

Cari de porc
Riz
Haricots rouges

Le cari de porc est confectionné avec du safran, des oignons, des tomates, du gingembre, de l'ail, du thym et une viande (ou du poisson).

Sur le marché, avec son père

Ici, l'année est marquée par les fêtes de toutes les communautés. Les Chinois fêtent le nouvel an chinois début février : «Ils font éclater des pétards la nuit» ; les malabars font des processions avec de la musique, des marches sur le feu, ils fêtent aussi Dîpavali. Les zarabes fêtent la fin du Ramadan, pendant lequel ils n'ont pas le droit de manger ni de boire entre le lever et le coucher du soleil.

GASTRONOMIE

Les plats préférés de Christophe sont le cari de porc et le rougail-saucisses. Le riz reste l'aliment de base traditionnel. Pour son goûter, c'est pain au chocolat ou bien «bouchons» : «Ce sont des morceaux de porc ou de poulet roulés dans une pâte et cuits à la vapeur. Je mange ça dans un sandwich avec du ketchup.»

«Parmi mes amis, il y a Romuald qui est créole, Anthony, mélangé chinois et créole, Nicolas, malabar, Dimitri, cafre mélangé créole, Joany, malgache. Guillaume est créole comme moi et Cyrille est zoréole : son père est zoreil, sa mère créole.»

SON ÉCOLE

Christophe va à pied à l'école, mais dans certains coins de l'île, les enfants sont quelquefois obligés de marcher loin pour prendre le car scolaire. Sa maîtresse est... sa propre mère ! À la récré, les enfants jouent à «cachette», à «fille attrape garçon», au «maire», aux «pogs», aux «capsules» (version locale des pogs), aux billes, aux petites voitures ou aux avions (en papier).

POUR LA FORÊT

Cette année, la classe de Christophe a participé au concours «1 000 défis pour ma planète». Ils ont décidé de replanter une parcelle de terre. «Après, on a raconté notre histoire dans un spectacle : *Des cœurs d'enfants pour un chœur d'arbres*.»

SES AMIS

Christophe a beaucoup d'amis. Leur diversité est représentative de la Réunion, île déserte où se sont installés successivement Français et Malgaches (à partir du XVIIe siècle), puis Africains («cafres»), Indiens («malabars» hindouistes et «zarabes» musulmans) et Chinois. Le «créole» est un Réunionnais blanc, le «zoreil», un Européen qui vient d'arriver.

«On était déguisés en arbres, il y avait l'eucalyptus, l'orchidée, le tamarinier, le fanjan, le grand natte, le petit natte... Moi j'étais un agent forestier. Des parents nous ont aidés pour faire les costumes, et on a donné deux représentations dans un théâtre de Saint-Denis.»

Quelques mots réunionnais.
Gramoune : vieille personne.
Case : maison.
Marmaille : enfant.
Cannette : bille.
Bringelle : aubergine.
Savate deux-doigts : tongue.

Rodolphe

LA FOA

Rodolphe, 12 ans, vit en Nouvelle-Calédonie, une longue île à l'est de l'Australie. Sa famille est installée ici depuis cinq générations ! Son grand-père est le maire de Farino, à la sortie de La Foa, où ils habitent, comme l'a aussi été son père, l'arrière-grand-père de Rodolphe. «Chez nous, de père en fils, on est tous éleveurs. Je vais avoir la propriété mais je veux être boucher pour travailler avec les copains broussards et le bétail. Je ne veux pas être maire, c'est ennuyeux. Le week-end, je vais à la chasse aux cerfs et j'ai déjà appris à découper la viande.»

UNE VIE DE BROUSSARD CALÉDONIEN

Les grands-parents de Rodolphe possèdent une propriété de 750 ha et 400 têtes de bétail à côté de La Foa, sur la côte ouest, à environ 100 km de Nouméa. La vie de Rodolphe est centrée autour du bétail, dans la «brousse», la campagne calédonienne. Tous les mercredis a lieu l'abattage du bétail, auquel participe Rodolphe.

«La cuisine, à l'arrière de la maison, est la pièce où on se retrouve pour discuter. C'est celle que je préfère. On y est tout le temps en famille. J'aime bien aussi le "dock", la grange où je bricole. J'y fais des branchements mécaniques, j'arrange mes selles.»

SA MAISON

Rodolphe habite le lieu dit «Fonimoulou», du nom de la rivière qui traverse la propriété, juste avant la commune de La Foa. Sa maison est en bois, de plain-pied, avec de grandes portes-fenêtres qui ouvrent sur le jardin. La chambre de Rodolphe donne sur le devant.

Son chapeau

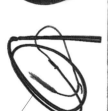

SON PÈRE ET SES ONCLES

Rodolphe a un peu été élevé comme le petit frère de son père et de ses oncles, José et Jean-Louis. José, qui vit à Teremba, appelle Rodolphe Rod pour le taquiner. Rodolphe aime bien ce diminutif.

Son fouet

La jument de son grand-père

LA VIE À CHEVAL

Sur la propriété, il y a six chevaux pour rentrer le bétail. Celui de Rodolphe s'appelle Tonnerre. Son père le lui a acheté il y a deux ans, à Farino, «mais j'aime bien monter la jument de mon "Patioule" (un vieux, en canaque)».

La famille de Rodolphe est très connue en Nouvelle-Calédonie. À Nouméa, il existe même un collège Jean-Mariotti, en hommage au grand-oncle du père de Rodolphe qui était écrivain.

Henri, son grand-père, qu'il appelle «Papé».

Jocelyne, sa grand-mère, surnommée «Mam»

Pierre, son père, habite juste à côté et vient très souvent chez ses parents.

Son oncle Jean-Louis vit à Nouméa.

Jessy, la femme de son oncle Jean-Louis

«Mon animal préféré, c'est le cheval, suivi du bétail, suivi du chien.»

AU VOLANT

Rodolphe, comme tous les petits broussards, a appris à conduire très jeune sur la propriété. «C'est moi qui conduis le 4x4, un Toyota..»

Rudy, son petit frère, a 8 ans.

SES GRANDS-PARENTS

Rodolphe vit chez ses grands-parents qui l'ont élevé comme leur fils quand sa mère est partie. Le clan Mariotti est très soudé et tous possèdent une maison sur la propriété. Sa famille est d'ailleurs très importante pour Rodolphe.

RUDY

Rodolphe a un frère, Rudy, qui vit aussi chez Mam et Papé, ainsi qu'un demi-frère, Bruno, qui vit à La Foa et qu'il voit pendant les vacances. Rodolphe aime bien Rudy mais ils se disputent souvent. C'est Rodolphe qui lui a appris à nager à la piscine, quand il avait 3 ans.

J'ai un fusil à [m]oi, une 243, [m]ais le permis [es]t au [n]om [...]am. Je [pr]éfère le [fu]sil de mon [pè]re, une 270, car [il] y a une jumelle, [c']est plus [fia]ble. »

Sa cartouchière et les balles

Le fusil à lunette de son père

Son couteau de chasse

Rodolphe

" *Je voudrais bien aller en France pour visiter, mais pas y habiter. Il y a trop de monde. Tous ces trucs, les attentats… on n'est pas à l'abri là-bas. En métropole, la vie n'est pas pareille. Les jeunes restent chez eux avec la télé, les jeux vidéo. Ici, on vit toujours dehors ; la brousse, c'est ce qui représente le plus la Calédonie. La ville, ils l'ont déjà là-bas, mais en plus grand.* "

LA CHASSE

La plus grande passion de Rodolphe, c'est la chasse. À 7 ans, il avait son premier fusil, une 410, et à 8 ans, il tuait son premier cerf – une biche, en fait. C'est son grand-père qui lui a appris à chasser. Maintenant, il y va tous les week-ends. «Ça va vite, les cerfs, on peut les rater. Avant, je m'énervais. Maintenant, je m'applique, et ça fait six ou sept week-ends que j'en tire un.»

Édouard est le surveillant mélanésien du collège de Rodolphe. Les Mélanésiens ont été les premiers occupants de l'île.

David, 13 ans, son ami d'école, vient de Wallis, en Polynésie. Les Polynésiens sont nombreux ici depuis les années 1960.

LES AMIS

Ses copains sont aussi bien calédoniens, mélanésiens que wallisiens. Son meilleur ami, c'est Denis Dominé, 16 ans. «Il habite juste à côté. On n'est pas dans la même classe mais avec lui je fais de la mécanique le week-end.»

La roussette est un mammifère fructivore qui ressemble à une chauve-souris. Rodolphe l'adore préparée à l'ail ou en civet.

SON ÉCOLE

C'est une mission catholique installée dans les anciens bâtiments de la pénitenciaire de La Foa. Il y a une centaine d'élèves dont 39 internes. Rodolphe, lui, est demi-pensionnaire. Il a deux heures d'instruction religieuse par semaine. «Moi je crois à un seul Dieu mais je sais qu'il y en a qui ne croient pas au même Dieu que moi. Chacun sa religion. On est libre de choisir.»

À TABLE

Comme tous les broussards, Rodolphe ne mange pas de viande de cheval. «On n'en mangera jamais. Le cheval, on travaille avec. Ici, on mange surtout de la viande de cerf. Mais ce que je préfère, c'est la roussette.»

[R]odolphe [e]st d'origine [eu]ropéenne [(c]orse et [b]retonne) par [s]on père, [ta]hitienne par [s]a mère.

[S]on dernier [tr]ophée de [ch]asse : les bois [le]s plus grands [d]e l'année !

La sagaie est une grande tige de bambou, au bout de laquelle est soudée une sorte de fourche.

SON DERNIER TROPHÉE

C'est un «cornes-molles», c'est-à-dire un jeune cerf, de 85 kg. «Mon grand-père va faire monter les cornes sur un socle.» Il viendra compléter sa collection de trophées qu'il a commencée dans sa chambre avec déjà celui d'un cornes-molles de 74 kg. «C'est mon grand-père qui détient le record, avec un 105 kg.»

LA PÊCHE

Sa seconde passion, c'est la pêche, en plongée au fusil, au filet ou à la sagaie, dans la rivière de la propriété.

«Il n'y a pas longtemps que je plonge en mer parce que avant j'avais peur, à cause des Dents de la mer. Je vois souvent des requins mais j'essaie de m'en écarter.»

Jessie

«Je m'appelle Jessie, je suis née le 25 mars 1985 à Papeete. J'ai les cheveux noirs et les yeux marron comme la plupart des Tahitiennes. On dit que je suis têtue mais je crois que c'est plutôt de la timidité. La famille est ce qu'il y a de plus important dans ma vie et j'aimerais continuer à vivre ici avec mes sœurs, mon frère, mes cousines, mes nièces et mes parents. Je suis encore trop jeune pour savoir ce que je ferai plus tard comme métier. Ce n'est pas ce qui m'intéresse le plus.»

TIAREI

TAHITI

La Polynésie française comprend cinq archipels à 18 000 km de la France, dans le Pacifique Sud : les Marquises, les Tuamotu, les Gambier, les Australes et les îles de la Société, dont fait partie Tahiti. Jessie habite à Tiarei, une petite commune de la côte est de l'île de Tahiti qui se situe à 25 km de Papeete, la capitale.

SA FAMILLE

«Je vis avec ma maman, Mireille, son mari, ma sœur Sabrina qui a 18 ans, mon frère Edwood et ma sœur jumelle, Jessica. Toute ma famille habite dans le quartier. Mes cousines Potii et Laetitia ont le même âge que moi ou sont un peu plus âgées, elles habitent juste à côté de chez nous et je les vois tous les jours. Je m'occupe aussi de mes petites nièces et cousines, Poehei et Aremiti.»

La plage de sable noir est longue de 800 m. Il n'y a pas d'accès public, ce qui la préserve du tourisme.

Son père est mort il y a plusieurs années.

Jessica, sa sœur jumelle

Edwood, son frère, a 15 ans.

Jessie

Sa mère, Mireille Temanupaioura

SA MAISON

«Je vis dans une maison en bois construite sur des petits pilotis. Pour le toit, la tôle a remplacé le "niau" tressé (feuilles de cocotier). Dans mon jardin poussent des fleurs et un pamplemoussier. Il y a quatre chambres, une salle de bains, une cuisine et un salon qui est décoré avec des coquillages et des "tifaifai" (patchwork tahitien).»

SA CHAMBRE

Jessie partage sa chambre avec sa jumelle Jessica. Aux murs, elles ont accroché des posters de chanteurs et de chanteuses américains ou français. Mais Jessie préfère la chambre de Sabrina qu'elle trouve «plus jolie».

Sur son lit est posé un tifaifai.

SON «QUARTIER»

Là où vit Jessie, toutes les terres alentour ont été divisées entre les différents membres de la famille. Ses voisins sont donc ses cousines. Le quartier est une véritable communauté où les enfants vont de jardin en jardin, de maison en maison.

Fischer Urima, le beau-frère de Jessie

Poehei

Aremiti

Rai Peme, sa nièce

Edwood, son frère

LA VIE DANS L'EAU

Jessie est ce qu'on appelle à Tahiti une enfant des districts, par opposition à l'enfant des villes. Sa maison est à 25 km de la capitale, ce qui est énorme à Tahiti, et chaque déplacement «à la ville» est une petite aventure. La mer est à 15 m de son «fare» (maison) ! Du matin au soir, tout le monde est dans les vagues. Le boogie (surf) est l'activité principale.

Sa petite nièce, Rai Peme, est la fille de Maria, une demi-sœur née d'un premier mariage de sa mère.

Jessie

« *Nous habitons à quelques mètres de la mer. C'est une grande plage de sable noir, il n'y a pas de lagon de ce côté de l'île, nous sommes directement face à l'océan Pacifique. De septembre à juillet, il y a des grosses vagues et nous faisons du boogie tous les week-ends ou dès que nous rentrons de l'école. Le boogie, le volley et les parties de dames ou de cartes avec mes sœurs et mes cousines sont mes principaux loisirs.* »

« Mon nom tahitien est Renui mais seule ma grand-mère m'appelle comme ça, c'est un nom qui vient des Australes et qui désigne un endroit de l'île de Tubai d'où était originaire mon papa. »

Laeticia, une de ses cousines

Jessie peint sur tissu les motifs traditionnels qui ornent les paréo.

Rai Peme

Sabrina

LA GASTRONOMIE

« Le plat que je préfère n'est pas tahitien, c'est le steak-frites ! Sinon, nous mangeons du poisson que pêche ma tante Eugénie et des légumes comme les fei, les taro, le manioc. J'adore le poe que fait maman, c'est sucré, à base de farine de manioc. On peut le parfumer avec des fruits comme la banane ou la papaye. On le trempe dans du lait de coco, c'est très bon !

Sur des pierres volcaniques brûlantes sont posés les aliments, recouverts d'une feuille de bananier ou d'arbre à pain, puis le four est refermé par une couche de terre. La cuisson dure de 3 à 5 heures.

Le ma'a est une spécialité tahitienne, avec des uru, des fei, du taro, du cochon et du poulet fafa (assaisonné de feuilles et tiges de taro hachées).

Chez Jessie, la nourriture reste traditionnelle en raison de la proximité de la mer et du faapu (jardin potager) d'Émile, un des oncles de Jessie, qui alimente en fei et en taro les tables du quartier.

« Je n'aimerais pas vivre ailleurs, en tout cas pas en métropole. Le seul pays qui me fasse rêver, c'est Hawaii parce que c'est plus joli que Tahiti, plus grand, qu'il y a de super-vagues pour le surf et le boogie et qu'il y a un grand choix de linge (vêtements) de surf. »

L'uru, le fruit de l'arbre à pain

La banane à cuire, ou fei

LE TAHITIEN

«À la maison, nous parlons français, mais je comprends le tahitien que j'apprends au collège. Ma mère nous parle des fois en reo maohi. Par exemple, au lieu de dire "allons à la mer", nous disons "aller à tai" ; pour manger, "tama'a". Pour nous dire de bien travailler à l'école, maman nous dit : "haapoa maitai i te haapiiraa". Pour dire que tout va bien, les Tahitiens ferment la main, tendent le pouce et l'auriculaire et secouent le poignet. Ce geste vient de Hawaii.»

Son boogie

Pour aller au collège de Hitia, à 10 km, ou à Papeete au cinéma, Jessie emprunte le «truck» qui effectue le ramassage scolaire et les transports en commun.

Petit glossaire tahitien
La ora na : bonjour (littéralement : «reste en vie» ou «soit en bonne santé»).
Nana : au revoir.
Mauruuru : merci (le «u» se prononce «ou»)
Maa : repas.
Tamaa : manger.
Fei : banane que l'on consomme cuite.
Taro : un tubercule proche de l'igname.
Farani : français.
Popaa : blanc, européen.

« Depuis peu, nous jouons aussi au cerceau. C'est un nouveau jeu qui a fait son apparition il y a quelques mois à Tahiti ; le but est de faire tourner des anneaux de métal à l'intérieur d'un cercle. »

Son cerceau

« Je suis presque toujours habillée comme aujourd'hui. Mes cousines et moi ne portons pas de paréo comme on pourrait le penser, ce sont nos mères qui s'habillent comme ça. Je porte toujours des tee-shirts, des maillots de surf et des savates (tongues). »

Claire

Claire, que sa mère surnomme «Caille», a 10 ans. Elle habite à Saint-Pierre, chef-lieu de Saint-Pierre-et-Miquelon, archipel français situé dans l'Atlantique Nord. «Plus tard, j'aimerais être vétérinaire pour m'occuper des animaux qui sont blessés, malades ou maltraités et travailler dans une clinique, à Saint-Pierre ou en France. Mon rêve serait qu'il n'y ait plus d'enfants battus en France.»

SON CADRE DE VIE

Saint-Pierre-et-Miquelon est un petit archipel français, au sud de la Province canadienne de Terre-Neuve. L'hiver, il y fait très froid.

Dans son quartier, les maisons sont plutôt anciennes. Elles sont construites en bois, recouvertes de bardeaux pour se protéger du froid.

«J'habite dans une maison blanche en bois, de style plutôt nord-américain, avec un beau jardin et une grande cour où maman a planté ses fleurs.»

Le Cap à Dinan

«Je n'aimerais pas quitter mon île parce que j'y ai mes copines et mes habitudes maintenant, et je ne voudrais pas en changer. À Saint-Pierre, on est libre, mais je suis sûre que si je partais dans un autre pays, il faudrait toujours que les parents soient à côté de moi pour me surveiller…»

Le disque préféré de Claire

NOËL À SAINT-PIERRE

«Ma tante est très croyante et à Noël on va à la messe de minuit. Quelques jours avant, on décore le sapin, les vitres, la maison. Noël, c'est la naissance de Jésus aussi mais je ne peux pas dire que je suis très croyante. On se regroupe chez ma tante pour faire un grand repas et on mange la dinde.»

«L'endroit que je préfère est le Cap à Dinan parce que, quand on y va, il y a un grand pont et là, je trouve que la nature est belle. Quand il y a du soleil à travers les branches, c'est joli…»

Gilles, son père, travaille comme ingénieur du son à RFO (Radio et télévision française d'outre-mer).

Sa mère, Corinne, fait de l'éveil musical à l'école. L'été, elle est animatrice au centre aéré.

Son Game-Boy

Claire voit très souvent sa mamie Monique, sa grand-mère maternelle, car elle mange chez elle le midi et y dort quatre fois par semaine.

LA FAMILLE

Claire vit avec ses parents et son petit frère Benoît. Elle va aussi très souvent chez sa mamie. «J'ai six cousins, cinq du côté de mon père et une cousine du côté de ma mère que je vois plus souvent. Tous habitent à Saint-Pierre, aucun ne vit à l'étranger. Il me reste encore mes grands-parents du côté de papa et, du côté de maman, ma mamie qui vit seule.»

Benoît, son petit frère, a 6 ans. Claire fait des activités avec lui. Ensemble, ils s'amusent au loup ou à cache-cache.

Leur chien, Lili   Claire

«À Saint-Pierre, on dit "un poudrin de choquette" quand il neige beaucoup et qu'on ne voit plus rien, mais les expressions locales se perdent parce que les étudiants vont faire leurs études en métropole et quand ils reviennent, ils emploient les expressions de là-bas. Je parle anglais quand je vais à Terre-Neuve, à Halifax ou en Floride. J'apprends l'anglais à l'école et, le soir, je parle aussi avec mes parents quand je révise mes leçons.»

«J'aime lire avant de m'endormir le soir : je lis des BD, des livres d'aventures.»

Claire

" *Je n'ai pas vraiment de type idéal de maison, parce que de toute manière on n'a pas besoin d'une maison hyper-grande pour vivre confortablement. On peut être heureux dans une petite maison, le tout est de s'y sentir bien.* "

Claire joue de la guitare avec son père qui faisait partie d'un groupe, les Barbelés.

SA CHAMBRE

L'endroit qu'elle préfère, chez elle, c'est sa chambre parce qu'elle y a toutes ses affaires, qu'elle se sent bien «toute seule et intime». Elle l'a décorée avec des posters des Back Street Boys et de Céline Dion, des médailles et des diplômes de taekwondo.

NOURRITURE

À Saint-Pierre, on cuisine beaucoup le poisson, comme la morue, une des spécialités est le pâté de thon (sur la photo). Pendant la saison de la chasse, on mange du chevreuil et du lapin.

Son école s'appelle le «Feu rouge» parce qu'elle a été construite à l'emplacement d'un ancien phare.

«Je préfère l'école aux vacances parce qu'on y apprend plein de choses et qu'on n'a pas le temps de s'ennuyer. Quelques fois, en vacances, on s'embête un peu.»

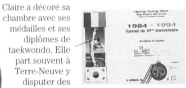

«Je n'habite pas très loin de mon école ; en me pressant, j'y arrive en cinq minutes. Nous ne sommes que quinze élèves dans la classe, et avec Maud, Marion et Gwennoline, on se dispute les premières places. Pendant les récréations, on joue à l'élastique, au loup et parfois on discute.»

Claire se déguise en sorcière pour Halloween. Ce jour-là, tous les enfants vont quêter des friandises de maison en maison.

Claire a décoré sa chambre avec ses médailles et ses diplômes de taekwondo. Elle part souvent à Terre-Neuve y disputer des compétitions.

Maud est une de ses meilleures amies avec Gwennoline. Elles se sont rencontrées à l'école et ont les mêmes goûts pour tout.

L'été, quand les cours de taekwondo sont terminés, Claire et Maud vont à l'école de voile de Saint-Pierre.

HALLOWEEN

À Saint-Pierre, on célèbre Pâques et, l'été, le 14 Juillet et la fête basque. Le 31 octobre, même si ce n'est pas une tradition française, de nombreux enfants fêtent Halloween : «On se déguise et ce n'est pas dangereux comme au Canada où il y a des voitures qui circulent partout pour ramasser des friandises.»

À Saint-Pierre, les enfants ont classe le mercredi matin. L'après-midi, Claire fait du taekwondo au centre culturel et sportif avec le club Hong Song Nae.

Comment s'est fait ce livre

Pour réaliser les quarante-six reportages de ce livre, nous avons fait appel à de nombreux complices. Il a en effet fallu dénicher des enfants aux quatre coins de l'Hexagone qui acceptent de parler d'eux, de leur famille et de leur région ! C'est grâce au FAS (Fonds d'action sociale pour les travailleurs immigrés et leurs familles) et à son réseau d'associations que nous avons trouvé les enfants d'origine étrangère. Pour mener à bien les reportages sur le terrain, en France et dans les DOM-TOM, Gallimard s'est en outre associé à de nombreux journaux quotidiens régionaux. Tous ont délégué un journaliste, chargé de sélectionner les heureux élus et de les interviewer pendant une ou deux journées. Il ne restait plus ensuite qu'aux photographes de la région à tout mettre en boîte !

Les journaux qui ont accepté de collaborer avec nous sont : *L'Alsace, Le Quotidien de la Réunion, Le Courrier picard, Ouest France, Le Dauphiné libéré, Paris-Normandie, La Dépêche du Midi, La Semaine guyanaise, L'Écho des Caps, Le Télégramme de Brest, L'Est républicain, L'Union/L'Ardennais, La Voix du Nord, La Montagne, La Nouvelle République du Centre-Ouest.* En échange, ils publieront à leur convenance des pages de ce livre, notamment dans leurs suppléments pour la jeunesse.

On part pour le petit bois où Karamoko a construit sa cabane. Tous les enfants viennent assister à la séance.

Karamoko fait une petite démonstration de boxe.

Chaque photo a été commandée par le journaliste, en accord avec les enfants et la famille. Quelques jours après l'interview, le photographe Léonard de Selva arrive chez Mohamed, le petit Français d'origine malienne qui vit à Cergy. Il installe ses appareils, vérifie la lumière.

Séance de pose dans la cabane de Karamoko.

Index

Nos collaborateurs

Picardie
Journaliste : Dominique Millerioux (le Courrier picard)
Photographe : Thierry Duponchelle (agence Light Motiv)

Flandres
Journaliste : Emmanuel Crapet (La Voix du Nord)
Photographe : Éric Le Brun (agence Light Motiv)

Le Bassin minier
Journaliste : Emmanuel Crapet (La Voix du Nord)
Photographe : Éric Le Brun (agence Light Motiv)

Le Bassin minier (enfant d'origine polonaise)
Journaliste : Emmanuel Crapet (La Voix du Nord)
Photographe : Éric Le Brun (agence Light Motiv)

Alsace
Journaliste : Anne Schurrer (L'Alsace)
Photographe : Vincent Kessler

Alsace (enfant d'origine turque)
Journaliste : Anne Schurrer (L'Alsace)
Photographe : Vincent Kessler

Vosges
Journaliste : Frédéric Barillé (L'Est républicain)
Photographe : Vincent Kessler

Lorraine (enfant d'origine italienne)
Journaliste : Renaud Hartzer
Photographe : Olivier Roller (agence Andia)

Ardennes
Journaliste : Caroline Lair (L'Ardennais)
Photographe : Angel Garcia (L'Union)

Savoie
Journaliste : Maurice Vial (le Dauphiné Libéré)
Photographe : Ngo Dinh Phu (MédiAlpes)

Dauphiné
Journaliste : Maurice Vial (le Dauphiné Libéré)
Photographe : Ngo Dinh Phu (MédiAlpes)

Provence
Journaliste : Anne-Catherine Husson
Photographe : Laurent Giraudou

Provence (enfant d'origine pied-noir)
Journaliste : Anne-Catherine Husson
Photographe : Michel Massy

Pays niçois
Journaliste : Michèle Loriguet
Photographe : François Fernandez

Provence (enfant d'origine maghrébine)
Journaliste : Anne-Catherine Husson
Photographe : Michel Massy

Corse
Journaliste : Michel Codaccioni
Photographe : Élisabeth Scaglia

Languedoc-Roussillon
Journaliste : Anne-Catherine Husson
Photographe : J.-L Estève agence Andia

Languedoc-Roussillon (enfant gitan)

Journaliste : Anne-Catherine Husson
Photographe : J.-L Estève agence Andia

Midi (enfant d'origine espagnole)
Journaliste : Hervé Monzat (La Dépêche du Midi)
Photographe : Didier Lavaud (Occit Média)

Pyrénées
Journaliste : Hervé Monzat (La Dépêche du Midi).
Photographe : Didier Lavaud (Occit Média)

Pays basque
Journaliste : Txomin Laxalt
Photographe : Jacques Pavlovsky

Aquitaine
Journaliste : Christine Blanquet
Photographe : François Poncet (Occit Média)

Aquitaine (enfant d'origine portugaise)
Journaliste : Jean-Yves Gros
Photographe : François Poncet (Occit Média)

Poitou
Journaliste : Jean-Jacques Boissonneau (La Nouvelle République)
Photographe : Baudry (Andia)

Charente
Journaliste : Christine Blanquet
Photographe : Baudry (Andia)

Auvergne
Journaliste : Caroline Lemaître (La Montagne)
Photographe : H. Monestier (Andia)

Limousin
Journaliste : Caroline Lemaître (La Montagne)
Photographe : Didier Lavaud (Occit Média)

Franche-Comté
Journaliste : Francis Zigguelmeyer
Photographe : Olivier Roller (agence Andia)

Bourgogne
Journaliste : Francis Zigguelmeyer
Photographe : Olivier Roller (agence Andia)

Touraine
Journaliste : Pierre le Chantre (La Nouvelle République)
Photographe : Philippe Andrieu (agence Andia)

Sologne
Journaliste : Philippe Delalande (Nouvelle République)
Photographe : Philippe Andrieu (agence Andia)

Bretagne Sud
Journaliste : Robert Le Goff (Le Télégramme de Brest)
Photographe : Claude Prigent (Le Télégramme de Brest)

Bretagne Nord
Journaliste : Guy Brichteau (Ouest-France)
Photographe : M. Pasquet

Basse-Normandie
Journaliste : Édith Castel (Ouest-France)
Photographe : Franck Prével

Haute-Normandie
Journaliste : Béatrice Pellain

Photographe : F. Forestier

Paris
Journaliste : Anne Cauquetoux
Photographe : Léonard de Selva

Paris (enfant d'origine juive)
Journaliste : Anne Cauquetoux
Photographe : Léonard de Selva

Banlieue parisienne (enfant d'origine laotienne)
Journaliste : Anne Cauquetoux
Photographe : Léonard de Selva

Banlieue parisienne (enfants d'origine malienne)
Journalistes : Clotilde Lefèbvre et Anne Cauquetoux
Photographe : Léonard de Selva

Guadeloupe
Journaliste : Maryline Ampigni
Photographe : Gilles Delacroix

Guyane
Journaliste : Françoise Rassel (La Semaine guyanaise)
Photographe : Henri Griffith

Martinique
Journaliste : Gérard Prufer
Photographe : Claude Laurence

Réunion
Journaliste : Françoise Adam (le Quotidien de la Réunion)
Photographe : Emmanuel Grondin

Nouvelle-Calédonie
Journaliste : Didier Fléau (les Nouvelles calédoniennes)

Photographe : Fabrice Wenger

Polynésie française
Jounaliste : Thierry Dey
Photographe : Sylvain Beuscherie (agence Andia)

Saint-Pierre-et-Miquelon
Journaliste : Didier Gil (L'Echo des Caps)
Photographe : Patrick Boez (L'Echo des Caps)

Nous tenons particulièrement à remercier les associations qui nous ont aidés à trouver les enfants issus de l'immigration :

Des Femmes lao en France à Gif-sur-Yvette (immigration laotienne)

AFAVO à Cergy-Saint-Christophe (immigration africaine)

Casa Musicale à Perpignan (communauté gitane)

O Sol de Portugal à Bordeaux (immigration portugaise)

Candide à Toulon (immigration maghrébine)

CIPO de Thionville (immigration italienne)

Centre social d'Obernai (immigration turque)

Association des Polonais du Nord-Pas-de-Calais (immigration polonaise)

Crédit photo
p 9 Réderie à Rosières-en-Santerre © Hubert van Melkebeke
p 10 Lille © Éric Le Brun Light Motiv
p 14 Paysage autour de Lens © Éric Le Brun Light Motiv

p 16 Mulhouse © Francis Hillmeyer
Plaque émaillée © Wojtek Russ
p 17 Saint Nicolas © Thierry Gachon
p 30 Dent de Crolles, massif de la Chartreuse © R. Hémond MédiAlpes
p 42 Béziers, vue générale du Pont-

Vieux © Estève Andia
p 46 Vue de Toulouse © Occit'Média
p 54 place de la Bourse à Bordeaux © Pascal Baudry Andia
p 58 Cabanes ostréicoles à Marennes © P. Baudry Andia

p 64 Paysage bourguignon © Michel Joly Andia
p 80 Le pont royal à Paris © Patrick Léger Gallimard
p 90 La Montagne Pelée © Patrick Léger Gallimard